Debra Jones

LO QUE TÚ DESEAS... TE DESEA

Cómo dejar de sobrevivir y empezar a triunfar

TALLER DEL ÉXITO

LO QUE TÚ DESEAS...
TE DESEA

Editorial Taller del Éxito
Editorial dedicada a la difusión de libros y audiolibros de desarrollo personal, crecimiento personal, liderazgo y motivación.

ISBN: 1-931059-40-3

Impreso en Colombia / Printed in Colombia

3ª Edición, febrero de 2006

LO QUE TÚ DESEAS...
TE DESEA

Debra Jones

Este libro está dedicado a mi familia. En primer lugar a Doug, mi maravilloso marido y mi alma gemela, con quien compartiré dichosa esta vida y todas las vidas venideras. Gracias por todo tu apoyo y aliento. gracias por permitirme ser yo misma, independiente. Sobre todo, gracias por compartir lo que hay de especial en ti. Eres un hombre poco común y adoro tenerte en mi vida.

En segundo lugar, a mis hijos, Joy y Andrew. Ambos son muy preciados para mí. Me recuerdan cada día lo que es verdaderamente importante en la vida. Estoy bendecida al tenerlos como hijos.

¿Cómo te sentirás cuando tu vida llegue a su fin
respecto a todas las cosas en las que sólo pensaste?
Y cuando tu vida se haya acabado por completo,
¿qué te gustaría que dijeran de ti?
Reflexionar, cuestionar, preguntarse por qué...
¡No esperes a que llegue el momento de morir
para empezar a vivir!

—Debra Jones

PREFACIO

Debra Jones es un radiante destello de amor, sabiduría e iluminación. Ella erradica la oscuridad con la luz de sus palabras, sus hazañas y sus actos. Si la vela de tu vida ha sido apagada, se ha consumido su llama o se ha quemado por cualquier razón, las palabras de Debra la volverán a encender y te animarán a encender las velas de otras personas.

Debra es única y hermosa por dentro y por fuera. Ella ha descubierto su magnificencia personal y te despierta totalmente a la tuya. Está muy viva espiritualmente, mental y físicamente y enseña mediante el ejemplo lo que es posible si estás totalmente sintonizada y encendida.

Debra y yo somos amigos desde hace años. La he visto trabajar profesionalmente y ella dirige con visión, habilidad, carisma, encanto y dedicación absoluta. Como madre y esposa es extraordinaria. Ama a su marido y a sus dos hijos incondicionalmente. Nuestros hijos juegan juntos en conferencias y convenciones alrededor del mundo, y eso nos ha dado el tiempo para caminar juntos, hablar, pensar y, metafóricamente, soltarnos el pelo. Es auténtica y es una madre dedicada.

Lo que más valoro en ella es que trabaja a tiempo completo en su desarrollo personal. Está constantemente incrementando su propia valía y, por ende, su calor neto. Su valía personal está aumentando a un ritmo cuántico. La observo trabajar desde la tribuna cada par de años y me maravillo al ver el enorme avance en su capacidad de comunicar con la audiencia. Cada vez se expresa mejor, es más persuasiva y convincente. Lo que dice tiene sentido, y pinta cuadros con las palabras que te invitan a expandirte y a mejorar a nivel personal y profesional al tiempo que te reta a establecer tus propias metas.

Cuando Debra aprende algo, ¡lo mejora personalmente! Aquello que funciona, ella lo comparte, haciendo que todo el mundo mejore su situación y que nadie la empeore. La antigua sabiduría nos enseña a escuchar a las personas que demuestran aquello que enseñan con sus resultados. Los resultados de Debra hablan por sí solos. Es profundamente espiritual, está felizmente casada y sus negocios florecen. Como no es una persona que se duerma en sus laureles, sus planes para el futuro son emocionantes y atractivos.

Amo todo acerca de este libro: la forma en que está escrito, su estructura, su filosofía. Puedo oír la voz potente y clara de Debra en cada frase. Me encantan todos sus grandes mensajes de esperanza, adquisición de poder y de aliento y las promesas de un mañana siempre más radiante. Más que nada, estoy asombrado al pensar en los nuevos resultados que tú, lector o lectora, conseguirás al aplicar estas ideas.

Estando de vacaciones en Kona, Hawai, con mi familia y unos amigos del barrio, me llevé este maravilloso libro y lo leí en la playa. Nuestra vecina comentó que no sabía lo que quería. Yo le dije "Tengo el libro que necesitas; se llama *Lo que tú deseas, te desea*. Le presté este libro y ella consiguió enseguida resultados que transformaron su vida.

Comparto esta historia con ustedes porque es la misma magia que ocurrió con nuestros libros de la serie *Sopa de Pollo para el Alma,* que ahora son número uno y dos en la lista de "bestsellers" de *The New York Times: una persona le dice a la otra, "Tienes que leer este libro".* Creo que el libro que tienes en tus manos vivirá ese mismo destino, ser un *bestseller* de boca en boca.

Walt Disney dijo: "Para que un producto tenga mucho éxito, debe cumplir tres condiciones: ser único, tener un excelente "boca a boca" y tener don. *Lo que tú deseas, te desea* entra dentro de estas características. Es como una bolsa de papas fritas: una vez que empiezas no puedes parar (¡de leerlo!) Las ideas son memorables, fáciles de transmitir y aplicables de inmediato. Tendrás una visión de la vida totalmente nueva después de haber leído este maravilloso libro.

—MARK VICTOR HANSEN
Co-autor de la serie de The New York Times,
Sopa de Pollo para el Alma, *un éxito de ventas.*

Agradecimientos

La vida es maravillosa cuando tenemos numerosos maestros a lo largo del camino que están dispuestos a compartir su ser, sus talentos y sus experiencias con nosotros. Soy muy afortunada, pues ha habido muchas personas así en mi vida.

Muchas personas me han formado e influenciado y ahora es el momento de reconocerlos. Mi madre, Betty, una mujer fuerte y amorosa que me enseñó el valor de la disciplina, el poder del compromiso y la profundidad de la convicción. Mi padre, Skip, un amoroso maestro que se tomó el tiempo para preguntarme lo que pensaba y me dio la libertad de expresarlo. A él va mi gratitud por hacerme creer que podía ser, hacer y tener cualquier cosa que quisiera. A mis dos padres extiendo mi gratitud por su ejemplo, ya que después de llevar 20 años divorciados, decidieron salir de sus baches, hacer a un lado el pasado y continuar sus vidas en un estado de amor. Se volvieron a casar en 1984. ¡Hurra por ellos!

A mi tío Paul van dirigidas mis gracias por haberme enseñado a crear y a ser consciente de los momentos "mágicos" de la vida y a compartirlos con los demás. Tía Jackie y Tío Johnny me enseñaron a jugar, a ser ruidosa y a pasármelo muy bien. Gracias por eso.

Ahora debo darle unas gracias muy especiales a la mujer que me enseñó de qué se trata el verdadero amor desinteresado. La dama que es en mi vida la personificación de lo que significa dar: mi dulce abuela, y la ya fallecida Berta Carpenter.

A todos los demás miembros de mi familia y a mis seres queridos que han tocado mi vida, les doy las gracias. Sin ustedes mi vida no sería tan rica como lo es ahora.

La vida se movería a un ritmo mucho más lento y nos resultaría mucho más difícil alcanzar nuestros sueños a no ser por los mentores que entran en nuestras vidas para acelerar nuestro crecimiento. He sido bendecida con dos mentores muy especiales a quienes debo una enorme gratitud: Rex Gamble y Mark Victor Hansen. Rex me ayudó a iniciarme como conferencista profesional y Mark le hizo dar un salto cuántico a mi experiencia al ser un amigo y, al mismo tiempo, un ejemplo a seguir.

Por último, quisiera agradecer a Mile High Church of Religious Science por darme una filosofía espiritual para vivir mi vida. El Dr. Fred Voght y el Dr. Roger Teel me hicieron ver que: "existe un poder para el bien en el Universo que es más grande que nosotros, y podemos utilizarlo".

Si es verdad que somos un reflejo de aquellos que nos rodean, estoy muy satisfecha con la imagen que veo.

—DEBRA JONES

Introducción

Tocar tantas vidas como me sea posible es mi objetivo en la vida. He escrito este libro porque creo que existe un recurso maravilloso que se desperdicia. Es el extraordinario talento de la gente común.

Cada uno de nosotros tiene en su interior algo que lo hace extraordinario. Todos tenemos nuestras propias cualidades especiales que nos diferencian de las masas de la humanidad. La tragedia es que haya tanta gente convencida de que no tiene nada de especial y para los que el mero hecho de existir sea suficiente. Limitarse a existir no es suficiente *¡es una blasfemia!*

La socialización nos enseña a aceptar nuestro lugar en el mundo y a contentarnos con él. No permitas que nadie te encasille. ¡No pierdas el tiempo en un trabajo que detestas! No permanezcas en una relación que dañe tu espíritu. Averigua lo que deseas y persíguelo.

Descubrir lo que te hace feliz es de lo que se trata este libro. Ajústense los cinturones de seguridad. Estamos a punto de despegar en un viaje hacia tus sueños.

—Debra Jones

Capítulo 1

La confusión es el preludio a la claridad

*El atractivo de lo distante
y lo difícil es engañoso.
La gran oportunidad se encuentra
ahí donde tú estas.*
—John Burroughs

Lo que cuenta es lo que aprendes
después de saber
—John Wooden

Es fácil para mucha gente minimizar el éxito de los demás diciendo: "Para ellos es fácil. Tienen tanta suerte. No han tenido que pasar por lo que yo he pasado". Lo que no ven son los fuegos del pasado que forjaron la voluntad de hierro de esa persona para que ésta pudiese llegar a dar grandes pasos en la vida; y no ven todo el esfuerzo que fue necesario para elevarse por encima de las cenizas.

Si hay algo que me ha enseñado la vida, es definitivamente lo si-guiente: Todo el mundo tiene una historia. Algunas son más coloridas y dolorosas que otras, pero todo el mundo tiene una. Nadie llega a donde ha llegado sin todo el espectro de acontecimientos que han ocurrido en su vida; algunos buenos, otros no tan buenos. Lo que importa es lo que hacemos con lo que somos. Estoy contando esta historia con la esperanza de que resultará de ayuda a alguien que pueda estar transitando por un camino similar.

La posición ventajosa desde la que he escrito este libro es muy distinta al punto de partida de esta historia. En la actualidad soy presidenta de un negocio multimillonario de pedidos por correo y de seminarios. Estoy casada con el hombre de mis sueños y el amor de mi vida. Tenemos dos hijos hermosos que llenan nuestras vidas de alegría y vivimos en una casa maravillosa sobre un lago, donde estamos rodeados por la belleza de la naturaleza todos los días. Ahora es fantástico, pero no siempre ha sido así.

No hace mucho tiempo, mi vida estaba invadida por la confusión total. No sabía a dónde quería ir ni lo que quería hacer. Todo lo que sabía era que mi vida no estaba funcionando. No sabía cómo arreglarla. Cualquiera que haya estado alguna vez en circunstancias similares sabe lo perdido que se puede llegar uno a sentir y lo frustrante que es. Mi frustración empezó a terminar con la llegada de una pequeña nube gris que me enseñó que la confusión es el preludio a la claridad. He descubierto que no soy la única que ha tenido esta lucha. Hay mucha gente que no sabe lo que quiere. Todo lo que saben es que no lo tienen.

¿Has tenido alguna época en tu vida en la que parecía como si una pequeña nube gris te persiguiera a dondequiera que fueses? Para algunas personas, esta situación dura sólo unos días, para otras unos meses ¡y otros hacen de ella la obra de su vida!

Mi experiencia con la pequeña nube gris ocurrió hace bastantes años y, afortunadamente, duró sólo unos pocos meses. Antes de estos pocos meses, si me hubieran visto, habrían dicho que me encontraba en la cima del mundo. Me había graduado de la Universidad con honores, estaba casada con un hombre maravilloso con quien durante muchos años había compartido un hogar feliz. Tenía un estupendo trabajo en la industria informática y, a juzgar por todas las señales, mi vida parecía estar destinada a ser, como mínimo, fabulosa. En otras palabras, daba la impresión de que yo había aprendido todo lo necesario para hacer que mi vida funcionara. Sin embargo, nada más lejos de la verdad. En cuestión de meses, destruí sistemáticamente todas las avenidas valiosas de mi vida. Claro que, mientras esto ocurría, yo creía no tener nada que ver con las causas de estos problemas. Sencillamente, las cosas me estaban *sucediendo*.

Parecía como si, hiciese lo que hiciese, sin importar cuánto me esforzara, todo lo que tocaba se convertía en un desastre. Aunque esto duró sólo unos meses, yo tenía la sensación de que esta pequeña nube gris no se iría nunca.

Lo que ahora sé, al mirar atrás, es que la sucesión de cosas *malas* que me sucedieron *a* mí no era más que la vida intentando transmitirme un mensaje para que yo pudiese aprender una lección vital acerca del equilibrio en la vida. Mi vida estaba completamente fuera de equilibrio, pero yo estaba demasiado involucrada en ella como para ver lo que estaba sucediendo y los problemas que yo estaba creando. Algunas personas aprenden con más rapidez que otras. Ojalá pudiera decir que yo era una alumna rápida en aquella época, pero no lo era.

¿Te has dado cuenta de que cuando la vida intenta transmitirte un mensaje, normalmente lo envía en la forma de un pequeño problema? Si aprendes con rapidez, ahí se acaba la cosa. Si ese no es tu caso, la vida te envía un mensaje más grande en forma de un problema más grande. Si aún así continúas sin captarlo, cuidado: la vida está a punto de enviarte un desastre a gran escala. Hasta que no caí de espaldas, no empecé a hacer a un lado mi ego y a permitirme aprender. Como ya dije, algunas personas aprenden con más rapidez que otras.

El primer pequeño "mensaje" que me envió la vida fue que yo había masacrado un matrimonio que significaba mucho para mí. Nuestras prioridades eran erróneas, y mi marido y yo acabamos compitiendo el uno con el otro, lo cual nos fue distanciando. Habíamos dejado de centrar nuestro matrimonio en el otro y, en lugar de eso, nos centramos en nuestras profesiones. Estábamos totalmente absortos en lo que hacíamos. Desgraciadamente, eso que hacíamos no incluía a la pareja.

¿Llegué a pensar que el fracaso de mi matrimonio tenía algo que ver conmigo? No, en absoluto. Me sentía agraviada. Había hecho lo que haría cualquier mujer que se respete. Lloré litros y litros de lágrimas, intenté sanar la herida de mi corazón lo mejor que pude y continuar con mi vida. Imagínate una mujer en apuros con la cabeza echada hacia atrás en un gesto dramático, el reverso de la mano contra su frente, diciendo cosas absolutamente ridículas como: "¡No volveré a amar nunca más!", con un ligero acento sureño. Ese era el papel que yo estaba representando. ¿Había aprendido algo acerca de la necesidad de tener una vida equilibrada? No.

Mi antídoto para un matrimonio fracasado y para el dolor que conlleva fue algo que yo llamé "conquistas rotatorias". Como no creía que encontraría todo lo que deseaba en un hombre (y me mantenía siempre a una distancia segura, sin permitir que nadie se acercase demasiado), salía con una persona para ir a acontecimientos deportivos, con otra para ir a conciertos, con otra por una buena conversación, con otra por las cenas románticas en restaurantes caros, etc. Vivía rápidamente y jugaba duro. No me permitía sentir el dolor de mis circunstancias. En consecuencia, no aprendía nada de todo aquello. Huí de ello.

Poco tiempo después de mi fracaso matrimonial, me ascendieron a un puesto de dirección y fui transferida de Dallas a Denver. No podía haber llegado en mejor momento. Me mudaría y empezaría una vida nueva, borrón y cuenta nueva. ¿Sabes cuál es el único problema cuando te mudas? ¡Que tienes que llevarte contigo!.

Entregué mi corazón y mi alma en mi nuevo trabajo, trabajando tantas horas al día como me era posible. Pocos meses después de haber llegado a Denver descubrí que detestaba mi trabajo, odiaba a la gente con la que trabajaba y odiaba mi vida. ¿Había aprendido algo acerca del equilibrio? No. Entonces decidí dejar el trabajo y hacer un viaje de 5000 millas de carretera para "encontrarme" a mí misma. Cinco mil millas más tarde y habiendo gastado un montón de dinero, decidí que lo mejor era regresar al mundo y volver a trabajar, de modo que acepté un puesto de ventas a nivel nacional en una empresa de informática en Boulder, Colorado. Me dije: "Sé lo que necesito. Necesito empezar a nuevo. Ya lo tengo, ¡Me mudaré!". Entonces recogí mis cosas y me fui a Boulder.

¿Has trabajado alguna vez para alguna empresa que no te paga muy bien pero lo que hace es darte un gran título? Mi título era tan grande que necesitaba cuatro tarjetas de presentación para acomodarlo. Yo viajaba por todo el país para ésta empresa, vendiendo sistemas informáticos. Parecía que las cosas me iban bien. Lo que yo no sabía es que ésta era la calma antes de la tormenta.

Yo creía profundamente en el sistema de recompensas y había tenido éxito como vendedora. Entonces, cuando llegaron las vacaciones de Navidad y Año Nuevo, decidí regalarme un largo viaje para ir a esquiar a Aspen. ¿Has estado esquiando alguna vez en Aspen? Si la respuesta es afirmativa, sabes que tienen que llevar más dinero del que has visto impreso en toda tu vida. El dinero parece correr por tus manos como el agua cuando estás en Aspen.

Bueno, lo pasé estupendamente durante aquellas vacaciones y a mi regreso a Boulder, pensé que sería una buena idea pasar por la oficina para recoger los mensajes que se habían acumulado durante mi ausencia. Cuando llegué a la puerta de mi oficina, vi que tenía un candado y había un aviso de un banco que decía que habían confiscado todo lo que había dentro del local. Para aquellos de ustedes que nunca han trabajado para una compañía que ha quebrado, eso es lo que sucede. El banco se apropia de los bienes. Todos mis archivos de años de trabajo en la industria informática estaban en aquella oficina y nunca los recuperé. Me dije: "Creo que esto no es nada bueno".

Fui a casa y abrí mi buzón. El cheque de mi última comisión, que era de varios miles de dólares, había rebotado como una pelota de goma. Mi último cheque de gastos, de varios miles de dólares, también había rebotado. Ahora, ten en cuenta que yo había estado gastando dinero como loca en Aspen. No era el mejor momento para que me rebotaran los cheques. Miré esos cheques y me dije: "Creo que esto no es nada bueno".

El presidente de la compañía para la que trabajaba sencillamente había desaparecido con el dinero disponible en efectivo del negocio. Había vendido cientos de miles de dólares en sistemas informáticos a personas que no habían recibido nada a cambio de su dinero. La gente me empezó a llamar a mi casa porque yo era la única representante de la empresa a la que podían localizar. Empecé a hablar sola y a preguntarme: "¿Pueden encarcelarme por esto? Yo no soy más que una empleada: yo no sabía todo lo que pasaba". La vida no parecía ir bien. Entonces se me ocurrió una brillante idea. Me dije: "Ya sé lo que haré: ¡me mudaré!"

De manera que, una vez más, cogí los trastos y me trasladé otra vez a Denver, donde estaba el mundo *real,* y decidí buscar un trabajo *normal* en una empresa *normal* y seguir adelante con mi vida. ¿Ya había aprendido la lección acerca del equilibrio? No.

A las pocas semanas, tuve una serie de accidentes automovilísticos. El último fue bastante importante. Yo no estaba molestando a nadie, me limitaba a conducir por la calle cuando, de repente, un automóvil arremetió contra el mío, destrozándolo. Afortunadamente, mi cinturón de seguridad me protegió de un daño serio.

¿Te has dado cuenta que cuando te empiezan a pasar este tipo de cosas, empiezas a hablar sola o solo? Empecé a decirme a mí misma cosas como, "¿Qué está pasando aquí? Soy una buena persona. No entiendo por qué siempre me pasan estas cosas. Yo no le hago daño a nadie y parece que todo el mundo estuviera en mi contra".

Volvamos al accidente automovilístico. Detesto hacer caracterizaciones generales vulgares sobre las personas porque siempre hay alguna excepción a la regla. No obstante, te voy a pedir me excuses por esta vez. Cuando la otra persona involucrada en el accidente empezó a caminar hacia mí, vi que su cuerpo estaba totalmente cubierto de tatuajes y que no tenía ningún diente delantero. Me dije: "Creo que esto no es nada bueno".

En pocas palabras, se trataba de un delincuente que había escapado de la prisión. Lo arrestaron ahí mismo y se lo llevaron a la cárcel. Mientras se lo llevaban a rastras, le grité a la policía: "¿Este hombre tiene algún seguro?" De más está decir que no lo tenía.

Así empezaba un nuevo año para mí. No tenía trabajo. No había ninguna relación amorosa en mi vida porque, desde hacía un tiempo, yo huía de cualquiera que intentase preocuparse por mí. No tenía dinero. De hecho me encontraba muy cerca de lo que yo suelo llamar delicadamente "económicamente avergonzada". Y ahora, además, carecía de un medio de transporte. Mi automóvil estaba destrozado. ¿Recibí el mensaje que la vida intentaba transmitirme? No. Como ya dije, yo no era de las que aprenden rápido.

La siguiente cosa que me sucedió fue que enfermé. Hasta hoy, no se sabe a ciencia cierta lo que tuve, pero estuve muy enferma. ¿Había aprendido mi lección? No.

Entonces llegó la gota que rebosó el vaso. ¡Mi madre vino a quedarse en mi casa para ayudarme a enderezar mi vida!

Ahora, yo no sé si, siendo un adulto, tu madre ha venido alguna vez a quedarse a vivir contigo para ayudarte a enderezar tu vida, pero, créeme, la mía tenía en mente una acción militar. Después de haberme cuidado hasta que recobré la salud y habiéndola yo convencido de que me las arreglaría sola, se marchó.

Un día, cuando ya se había ido, desperté en medio de la noche en estado de pánico. No sé si alguna vez te has encontrado cara a cara con el verdadero pánico, pero no es una visión muy agradable. Sentí un miedo horrible y desperté con un sudor frío. Me encontraba en un punto en mi vida en el cual las cosas deberían haber estado funcionando, pero no lo estaban. Mi vida era un desastre. Me encontraba infeliz y sola. Los acreedores me acechaban para que pagara mis deudas y no tenía ni idea de dónde aparecería el dinero para satisfacerlos. Ahí, en medio de la noche, en la oscuridad absoluta, empecé a llorar.

Por primera vez en mi vida, no me detuve. Verás, mi solución para el dolor hasta ese momento de mi vida había sido evadirlo o anestesiarlo. Si estás sufriendo, sal a divertirte. Si estás sufriendo, mantente ocupada y no tendrás tiempo para sentir. Si algo te incomoda, ignóralo. Evádelo y, tarde o temprano, desaparecerá. Por alguna razón, esta vez escogí no ignorar el dolor, sino sentirlo.

Lloré y lloré, hasta que ya no tuve más lágrimas que derramar. Recuerdo haberme preguntado, "¿Quién provocó todo esto?" Y recuerdo haber oído una voz que decía: "Tú lo has hecho". Aunque suene extraño, con aquella respuesta llegó la paz que permaneció conmigo durante los años subsiguientes. Verás, por primera vez, recibí el mensaje que la vida había estado intentando transmitirme todo el tiempo. Recibí el mensaje de que soy responsable de la vida que creo. Al darme cuenta de que yo era la única constante en toda esta cadena de circunstancias fue un gran "ajá" para mí. Capté el mensaje de que el ser verdaderamente feliz no tenía nada que ver con las cosas materiales, no tenía nada que ver con la posición en una empresa, no tenía que ver con nada de eso. Se trataba de tener un equilibrio en la vida y de estar satisfecha con quien yo era y saber que con eso bastaba.

Hasta que no llegué al destino llamado "tocar fondo", no empecé aprender. ¿Has llegado a tocar fondo alguna vez? No es un lugar agradable, ¿verdad? En ese momento decidí que reconstruiría mi vida basándome en el equilibrio.

Pensar en reconstruir mi vida me abrió los ojos porque me di cuenta que había tenido una serie de comportamientos autodestructivos, muchos de los cuales eran "viejas cintas" de mi niñez que volvían a sonar. Me resultó difícil reconocer esto porque siempre me había sentido muy orgullosa de ser una persona alegre, con una actitud mental positiva, capaz de enfrentarse a cualquier cosa. Durante aquella noche, sin embargo, me había parecido obvio que yo había sido una persona que había leído libros, que había escuchado cintas, que había ido a seminarios, pero que sólo oía y que nunca había escuchado de verdad. Cuando toqué fondo, decidí que no podía ir en ninguna dirección más que hacia arriba y me comprometí conmigo misma a que, a partir de aquel día, aplicaría las técnicas para una vida de éxito que había oído durante años pero que nunca había aplicado verdaderamente. También me pareció cristalinamente claro que mi vida estaba guiada.

No voy a entrar en una disertación religiosa aquí porque todo el mundo tiene un punto de vista personal en relación con la espiritualidad. No obstante, puedo decir que mi vida funciona mejor cuando dejo de estar en control y me dejo guiar por aquello que algunos llamarían intuición y otros dirían que es orientación Divina.

Para una persona fanática del control como yo, renunciar a él no es cosa fácil pero, definitivamente, ha valido la pena. Conectar con mi lado espiritual y aplicar a mi vida las técnicas, comprobadas a través del tiempo, para una vida de éxito me permitió darle la vuelta a mi vida. Las técnicas que utilicé para crear la vida de mis sueños son las ideas que quiero compartir contigo.

La vida es demasiado valiosa para ser vivida en un estado de mediocridad, dolor o confusión. Creo que la verdad acerca de ti es que estás destinado a tener una vida abundante, llena de salud, riqueza, amor y alegría.

Creo, hasta el fondo de mi ser, que aquello que deseas te desea. Está esperando para entrar en tu vida en cuanto te encuentres preparado mentalmente. La razón por la cual creo en esto es porque he visto cómo ocurría en mi vida, una y otra vez. Ahora quiero compartir estos conceptos contigo, con la esperanza de que puedas crear la vida que deseas, en lugar de conformarte con lo que tienes.

Capítulo 11

HOLA AHÍ DENTRO
Averiguando quién eres

*Muchos de nuestros miedos
son del grosor de un papel tisú,
y con un solo paso valiente
los atravesaríamos y los dejaríamos atrás.*
—BRENDAN FRANCIS

> *Un hombre debe considerar*
> *el rico reino al que abdica*
> *cuando se convierte en un conformista*
> —RALPH WALDO EMERSON

Para empezar a crear la vida que deseamos, primero debemos echar una mirada al estado actual de nuestra vida. ¿Quiénes somos? ¿Cómo llegamos hasta aquí? ¿Hacia dónde nos dirigimos?

Cuando era una niña con una viva imaginación, el mundo me parecía como un lienzo en blanco que esperaba mis impresiones.

Cuánta sorpresa había en las pequeñas y simples maravillas. ¿Adónde van las mariposas? ¿Cómo se quedan las nubes en el cielo? ¿Por qué no hablan los perros? El mundo de la fantasía es real. Yo solía decirme a mí misma: "Puedo ser la mejor persona del mundo si lo deseo..." Las juguetonas conversaciones de un niño son interminables.

En las mentes de nuestra infancia yacen las respuestas que necesitamos para vivir toda nuestra vida con entusiasmo y abundancia.

Pero un día, cuando no estamos mirando (y para nuestra sorpresa) entra la conformidad y la escena cambia.

Corriendo, saltando, riendo, con salvaje abandono ¿a dónde se va? Los sutiles mensajes de lo que está "bien" y lo que está "mal" van nublando el ojo de la mente joven, estrechando su amplia visión para que perciba tan sólo puntos de vista predeterminados. En el proceso de crecer, aprendemos a restringir la expresión. Muchos de nosotros aprendemos tan bien a realizar este cambio en nosotros mismos que un día despertamos, salimos de la cama, nos miramos al espejo y nos sorprendemos al darnos cuenta que no reconocemos a la persona que nos devuelve la mirada.

En los primeros años de mi niñez, mi destino en la vida quedó muy claro. Siempre supe que mi vida afectaría a cientos de miles de personas. Esta es una noción grandiosa y, al serlo, atravesó los portales del tiempo, el espacio y la influencia, a veces torciéndose, cambiando de forma y escondiéndose de mi vista. Hubo muchas ocasiones en las cuales las cosas me parecieron tan sombrías y las barreras tan enormes que era difícil ver de qué manera podría mi vida llegar a tener el impacto que yo había imaginado de niña, pero *nunca* perdí mi sueño.

Este libro trata acerca de cómo romper las barreras. Todo viaje comienza con un paso, y el mero acto de empezar te lanza hacia un mundo de libertad, creatividad, vitalidad y expresión, más allá de tus más extravagantes expectativas. La pregunta no es si eres capaz de tener aquello que deseas, porque sabes que sí. La pregunta es: ¿Estás preparado para ello?

> *Muchas personas se preocupan más*
> *por ser normales*
> *que por ser naturales.*
> —Lee Gibson

Nuestra sociedad considera que las actitudes idealistas y aventureras le están reservadas a los ricos y a los jóvenes. Al resto de nosotros se nos enseña desde muy temprana edad que debemos trabajar para ganarnos la vida y ser prácticos. Durante un período de nuestra vida, que suele ser nuestra juventud, se nos anima a explorar y a aceptar todo lo que el mundo nos ofrece. Infortunadamente, para mucha gente, nunca más se volverán a sentir tan vivos. En algún momento eligen aceptar esto y, a partir de ahí, la vida para ellos se cierra, en lugar de abrirse, para permitirles cumplir con su papel de personas "responsables".

Llegan mensajes fuertes y claros de que es aceptable reír, pero no ser demasiado tonto. Está bien ser listo, pero no demasiado listo. Está bien querer más, pero no ser codicioso. Está bien pensar, pero no cuestionar las costumbres. Está bien ganar, pero no todo el tiempo. Está bien amar, pero no ser sexual. Está bien ser fuerte, pero no demasiado fuerte. Está bien ser independiente, pero no ser un solitario. Y el más grande: está bien que sueñes, pero no perder el tiempo con ridiculeces.

Muchos de nosotros aprendemos que la moderación es todo lo que deberíamos esperar, y que desear más es ser ingratos. ¡Cuidado! Cuando empiezas a pensar que querer más te convierte en un ingrato es que alguien ha hecho un buen trabajo sembrando semillas de culpa en tu mente. Una vez sembradas, la culpa florece. Depende de ti eli-minar la culpa que abrigas y que le quita a tu vida alegría y pasión.

> *Debo vivir para los demás*
> *y no para mí mismo;*
> *esa es la moral de la clase media*
> —GEORGE BERNARD SHAW

Es hora de que te des cuenta que no tienes por qué ser mediocre. Hay más en la vida y depende de ti, pero primero debes reunir el coraje necesario para salir del bache en que te encuentras. El simple hecho de que estés leyendo este libro indica que ya estás preparado para algunos cambios.

La mediocridad es algo que siempre he evitado, como si se tratara de una plaga. Durante años he tenido un rótulo en mi escritorio que dice: "Antes morir que convertirte en un mediocre". Yo sé que ésta no es una filosofía según la cual todo el mundo quisiera vivir. Pero, para mí, si la mediocridad fuese lo mejor que uno puede esperar de la vida, bien podría abandonar ahora mismo, porque la mediocridad no me entusiasma. Paso más tiempo en mi trabajo que en cualquier otra actividad colectiva diaria en la que esté involucrada. De modo que me niego rotundamente a pasar la mayor parte de esta preciada cosa que llamamos vida en una actividad que no me apasiona. Negarse a aceptar la mediocridad es una actitud que tiene un precio muy alto, pero cada centavo vale la pena.

No siempre he estado bien equipada para escoger mi propio camino y dirección. Como sucede con cualquier experiencia de crecimiento, éste ha sido una viaje evolutivo. Este viaje ha hecho de mí una estudiante de mí misma. Al aprender más acerca de mí misma y del planeta en que vivimos, hay una Verdad que se me hace cada vez más evidente. Esta verdad es que todo el mundo merece tener cualquier cosa que desee en la vida, siempre y cuando no haga daño a otras personas.

Las maravilla de esto es que no sólo nos lo merecemos, sino que también somos capaces de ser, hacer, tener y conseguir cualquier cosa que deseemos – por nuestros propios medios. Es así de sencillo. Todo lo que tienes que hacer es escucharte a ti mismo y obtendrás todas las respuestas. La dificultad estriba en descubrir dónde reside nuestra voz, ya que la hemos acallado durante años al vivir según las expectativas de los demás.

No conozco la llave del éxito,
pero la llave del fracaso
es intentar complacer a todo el mundo.
—BILL COSBY

Como le sucede a mucha gente, yo empecé a moldearme desde muy joven para vivir de la manera que los demás querían que yo viviese. Cuando somos niños, estamos deseosos de expresarnos con una loca alegría desinhibida y con entusiasmo por la vida. Sin embargo, al poco tiempo nos damos cuenta de que los demás lo encuentran de mal gusto y cambiamos. Esto es bueno en cierta medida, porque nos permite funcionar en la sociedad. Pero esa no es la parte que a mí me concierne.

La parte que yo quiero explorar son los cambios que realizamos en nosotros para *complacer* a los demás, sin darnos cuenta de que estas personas nunca se sentirán complacidas. Es imposible complacer a alguien que no está satisfecho consigo mismo.

Las personas que manipulan nuestras acciones a través de la culpa para llenar los vacíos de su propia vida nunca se sienten satisfechos, y probablemente tú siempre sientas que tus esfuerzos por obtener su aprobación "no son suficientes". En consecuencia, puedes sentirte culpable al intentar asumir la responsabilidad de crear la felicidad de otra persona. Sé de lo que estoy hablando: yo me pasé la mayor parte de mi vida intentándolo y no funciona.

Hasta que no fui capaz de romper ese ciclo, no fui capaz de darme cuenta de que la culpa es uno de los principales frenos para que la gente sea quien es y consiga lo que desea.

Aquellos de nosotros que deseamos mucho en la vida somos ridiculizados con frecuencia por los demás, que dicen: "Pero bueno, ¿quién te has creído que eres?" "Demasiado bueno para el resto de nosotros ¿eh?" "¿Por qué no puedes ser feliz con lo que tienes? ¿Es que siempre tienes que querer más?" ¿"Por qué no te das por satisfecha y dejas las cosas como están"?

En consecuencia, empezamos a vernos a nosotros mismos en términos de lo que queremos y empezamos a preguntarnos si hay algo malo en nosotros. No hay nada malo en ti. Eres sencillamente diferente. No eres mediocre. En un mundo lleno de mediocridad, la persona que está dispuesta a ponerse de pie y pedir más, llama la atención. Las personas extraordinarias suelen ser atacadas. Hacen que los mediocres se acuerden de su propio talento desperdiciado que no tuvieron el coraje de utilizar, ni la iniciativa necesaria para realizar cambios.

> *Para ser irremplazable,*
> *uno debe ser siempre diferente*
> —Coco Chanel

Debes aprender a aceptar que ser diferente es maravilloso. Cuando lo hayas hecho, el entusiasmo que sentirás en relación con tu vida será ilimitado. Serás más poderoso o poderosa que nunca, y eso es emocionante. No obstante, saber que ser diferente está bien toma un tiempo. Hay que hacer las paces con las viejas ideas y eso suele implicar decirle adiós a las viejas costumbres, comportamientos y, a veces, amigos.

Siempre he sabido que era diferente, pero no siempre he sabido cómo, por qué o a qué propósito servía. Siendo distinta, solía poner una gran cantidad de energía en intentar encajar con los demás. Quería ser aceptada por mis amigos y mis seres queridos. Pero por mucho que lo intentara, a medida que iba creciendo, mis diferencias continuaban aflorando. Ahora, al mirar atrás, me alegro de no haberme extinguido. Sin embargo, en aquella época no estaba tan segura.

¿Has sentido alguna vez que nadie te comprende de verdad quién eres y lo que necesitas? A mí me parecía como si la mayoría de la gente en el mundo estuviese dentro de un círculo y yo estuviese fuera de él, mirándola. No es que yo fuese tímida y callada. De hecho, era todo lo contrario. Siempre fui una niña popular, la que siempre lograba lo que se proponía, que ganaba premios y tenía muchos amigos. Las apariencias externas hubieran indicado una vida buena, fuerte y equilibrada, pero por dentro me sentía incomprendida y fuera del círculo. Había algo en mí que me hacía sentirme diferente.

Sentía, como seguramente te habrá pasado a ti, que tenía que haber otras personas que estaban, como yo, fuera del círculo. Sencillamente, yo no sabía quiénes eran ni dónde estaban, de manera que seguí intentando adaptarme y ser quien yo creía que "tenía" que ser.

Anthony Robbins escribe en su maravilloso libro *Awakenh The Giant Within*, que sólo existen dos motivadores en la vida: el dolor y el placer. El dolor de vivir para los demás se volvió tan intenso un día, que me harté de todo ello y decidí dejar de intentar contentar a todo mundo y ser yo misma.

Una vez tomada esta decisión, un enorme grupo de nuevos amigos que no estaban "necesitados" entró en mi vida y empecé a ver que dos pensamientos opuestos no caben en una misma mente. En otras palabras, no podía aferrarme a la idea de que estaba viviendo para complacer a los demás y esperar que, al mismo tiempo, florecieran relaciones sanas y no-dependientes en mi vida. Una acción anulaba la posibilidad de que la otra ocurriese. No puedes avanzar hasta que no dejas atrás el pasado.

Habiendo hecho esto, mi vida es más maravillosa ahora de lo que había llegado a soñar. Una lección que he aprendido es, sin embargo, que hay que pagar un precio. Para sentirse verdaderamente vivo, uno debe salir, primero, del bache en que se encuentra y tener el coraje de decir: "Voy a por mis sueños incluso sin saber aún todos los pasos que debo dar. Voy a empezar de todos modos porque sé, al menos, cuál es el primer paso y voy a arriesgarme".

Luego (ahora viene la parte importante) *nunca debes mirar atrás*. Habrás abierto la puerta hacia una nueva manera de vivir. Esta puerta debes abrirla antes de que lleguen a tu vida todas las cosas que deseas. Lo gracioso es que aquello que deseas te está esperando ahora y siempre te ha estado esperando. El único impedimento es que no puedes entrar corriendo hasta que no hayas preparado el escenario para su llegada.

Si estás preparado, aceptemos algunas premisas básicas acerca de quiénes somos y cómo llegamos a ser así, para poder continuar y avanzar. Vamos a asumir que todos tenemos una considerable cantidad de basura en nuestras vidas como resultado de nuestra niñez. Vamos a asumir también que no tenemos por qué ser víctimas de esa basura por el resto de nuestras vidas. La libertad del cambio reside en la esfera de tu poder. Al conquistar hábito tras hábito, tu poder se incrementa y el "coco" de la niñez desaparece.

ALIMENTO PARA EL PENSAMIENTO

Concédete un momento para escribir cinco creencias limitadoras que arrastras desde tu infancia y que te gustaría que desaparecieran de tu vida porque ya no te sirven.

1. _____
   _____
   _____

2. _____
   _____
   _____

3. _____
   _____
   _____

4. _____
   _____
   _____

5. _____
   _____
   _____

Capítulo III

LOS SUEÑOS CONFIGURAN LA REALIDAD

*No debemos intentar nunca escapar
a nuestra obligación de vivir
al máximo de nuestra capacidad*
—JANET ERSKINE STUART

*Yo tenía la ambición, no sólo de ir más
lejos de donde cualquier hombre hubiese
podido llegar antes que yo,
sino llegar tan lejos como le fuese
posible a un hombre.*
—Capitán James Cook

Uno de los más grandes logros en la vida sería que alguien te pregunte: "Si pudieras estar haciendo cualquier cosa en el mundo que desearas hacer, ¿qué sería?" y que tú pudieses contestar: "Lo que estoy haciendo ahora". ¿No sería maravilloso?

Hoy estoy viviendo la realización de uno de mis sueños. Soy una conferencista reconocida a nivel nacional, viajo mucho a destinos hermosos por todo el país para las convenciones de mis clientes, ellos pagan todos mis gastos y yo pongo las condiciones de trabajo. Trabajo cuando quiero y me quedo en casa cuando quiero.

Empecé a soñar con esto cuando me encontraba en la ruina y nadie quería oír nada de lo que yo quería decir. Algunas personas dirían que el sueño de ser una conferencista reconocida y bien pagada, a juzgar por mis circunstancias, era demasiado inverosímil. No estoy de acuerdo para nada.

La experiencia me ha demostrado que no se te da un sueño a menos que se te haya dado también la capacidad de hacerlo realidad. Ahora, eso no quiere decir, por supuesto, que sucederá de la noche a la mañana, ni que vaya a ser fácil. Tampoco quiere decir que puedas hacer que todos tus sueños se hagan realidad, pero sí quiere decir que *puedes lograrlo* si lo deseas con la fuerza suficiente.

Entonces...¿qué sueños ~~~~~~~~ ~~~~~~~~ ~~ ~ienes para tu vida? Demasiadas personas han ~~~~~~~ ~~ cómo soñar. O han dejado de soñar a cambio de ganarse la vida. Es hora de empezar a soñar otra vez.

Al mirar atrás a las grandes personas de la historia, como el capitán James Cook, al que citamos al principio de este capítulo, es evidente que los grandes soñadores consiguieron grandes logros. Estas personas, con frecuencia, parecían tener éxito de la noche a la mañana. Si examinamos los hechos con más detenimiento, sus vidas demuestran no sólo una gran visión, sino también un plan para convertir su visión en realidad. En lo más recóndito de nuestras mentes hay esperanzas y sueños. A menudo negamos su existencia ante nosotros mismos y ante los demás, pero si nos permitimos el privilegio de la fantasía y la imaginación, estos sueños emergerán con rapidez y volverán a la vida.

Vivimos en una sociedad que rechaza a los soñadores. Son considerados frívolos, ociosos, vagos, que pierden el tiempo, raros, etc. ¿Pero dónde estaríamos sin nuestros soñadores? Ninguno de los grandes inventos hubiese sido inventado si nadie soñara. Las plagas seguirían azotando a nuestras poblaciones si nadie hubiese soñado con encontrar la cura. No se harían negocios y todo nuestro sistema de vida se vendría abajo sin los sueños. Ya vez, los sueños y los soñadores son muy importantes.

La pena es que, durante la mayor parte del tiempo, sólo se aplaude y se anima a los soñadores famosos. Parece como si lo que le otorgara poder al soñador en este mundo fuesen el éxito y el reconocimiento. De golpe resulta que soñar está bien. A la mayoría de la gente, sin embargo, se la anima a conformarse, a trabajar y a no perder el tiempo soñando despiertos. El diálogo es algo así: "Después de todo, seamos realistas. ¿Qué puedes esperar obtener en tu vida que sea tan maravilloso, eh? ¿Me equivoco?". Mi respuesta es un rotundo "¡Te equivocas!"

He dejado de permitir que la gente me convenza de abandonar mis sueños. Como resultado de esta decisión me ha sucedido algo increíble. Estoy haciendo realidad más sueños, y tu puedes hacer lo mismo. Todo lo que tienes que hacer es estar dispuesto a correr un riesgo. El primer riesgo es siempre el más difícil, pero después de un tiempo te acostumbras a correr riesgos y te resulta más fácil cada vez.

> *Cada vez que muere un artista,*
> *una parte de la visión de la humanidad*
> *se va con él.*
> —FRANKLIN D. ROOSEVELT

¿No sucede lo mismo con los soñadores? Cada vez que permitimos que nos echen abajo justo cuando nuestro espíritu empieza a elevarse, perdemos algo y la humanidad pierde también. He aquí un poste indicador que he aprendido a utilizar con los años. Cuando tengo un sueño que arde en mi interior y comparto ese sueño con alguien y esa persona me dice: "¿Estás loca?" Sé que voy por buen camino. Las críticas de la gente solían molestarme. Ahora me dan ánimos porque he descubierto que los grandes premios de la vida no son para quienes siguen al rebaño, sino para aquellos que alumbran su propio camino.

Por desgracia, demasiada gente permite que los demás supriman sus sueños y su creatividad. Me acuerdo de aquella canción del fallecido Harry Chapin. Describe a un niño feliz y maravillosamente curioso, con unos brillantes ojos bailarines, que llega a la clase de arte listo para expresar la belleza de la naturaleza tal como él la ve. Cuando le piden que pinte flores, escoge utilizar los colores del arco iris en toda su maravilla y su gloria. Sin embargo, esto no entra en los planes de la profesora para esta lección y ella le llama la atención, diciendo que los colores de las flores y de las hojas deben pintarse tal como aparecen en la naturaleza: con flores rojas y hojas verdes. No hay necesidad de verlas de otra manera. A esto el niño responde que la naturaleza está llena de gloriosos colores y que él los ve todos. La profesora lo ve como un problema de disciplina e incrementa la severidad del tratamiento aislando al niño. Nuestro creativo joven se siente solo y decide aceptar lo que le dicen.

A veces es difícil romper este molde. Un día este jovencito cambia de colegio. La profesora de arte está animando con entusiasmo a los niños para que exploren el color a medida que van pintando sus representaciones de jardines. Cuando le pide al jovencito que experimente con otros colores y que sea creativo, éste la mira con un rostro inexpresivo y dice en un tono de voz monótono que los colores de las flores y de las hojas deben pintarse tal como aparecen en la naturaleza: con flores rojas y hojas verdes. No hay necesidad de verlas de otra manera. Cuando oí esta canción por primera vez, me dieron ganas de llorar, y todavía me pasa.

Es doloroso cuando nos detenemos a considerar toda la exploración y la creatividad que han sido pisadas en el camino. En ocasiones duele tanto pensar en lo que podríamos haber sido que preferimos entumecernos diciendo que no tiene importancia. Nos engañamos a nosotros mismos argumentando que hay otras prioridades que ocuparon su lugar y asumieron una mayor importancia. Yo he vivido así en el pasado y te puedo decir que esa no es manera de vivir. Cuando te insensibilizas ante los deseos de tu corazón, otra cosa hace su aparición y ocupa su lugar. Puede empezar como un sentimiento acabado, pero luego crece y se convierte en resentimiento y enojo. Puedes acabar odiando a esa persona a la que querías tanto que decidiste poner a un lado tus propios sueños.

Yo digo que nada es tan importante como tu y tus sueños. Cuando seas capaz de amarte y experimentarte a fondo, sólo entonces podrás compartir totalmente con otra persona.

Una y otra vez en mis viajes, las mujeres de mi público vienen a mi con el doloroso aspecto del cuestionamiento sincero y me preguntan: ¿"Cómo lo haces? ¿Cómo te las arreglas para dirigir un negocio de éxito, estar casada, tener dos hijos pequeños y hacer que todo funcione?" Cuando les digo cómo lo hago, lo cual, para mí, consiste en contratar a alguien que me ayude con la mecánica diaria de llevar una casa porque yo no quiero hacerlo, porque quiero poder estar más tiempo con mi familia, instantáneamente empiezan a darme excusas para explicar que esto no les sirve. Lo que no quieren ver es que yo tomé la decisión de contratar a alguien que me ayudase cuando no tenía el dinero para hacer este sueño realidad. Si esperas a que todo esté perfecto antes de lanzarte con fe, no llegarás a ninguna parte.

Esto es lo importante. Hasta que no tengas tu sueño firmemente establecido, en tu mente, las soluciones no aparecerán porque todavía no estás lo suficientemente motivado para hacer que las cosas sucedan. Verás, los sueños no aparecen danzando delante de tu puerta mientras tu esperas haciendo pereza en el sofá. Tienes que salir a buscarlos. Es sorprendente. Cuando tu empieza a trabajar, el Universo también lo hace. Empieza a trabajar trayéndote aquello que deseas cuando tú le demuestras que va en serio.

Aunque esto sea lo único que retengas de este libro, escucha esto: primero tienes que preocuparte de ti mismo. No puedes vivir para otra persona, ni a través de otra persona. No permitas que nadie le quite el color a tu arco iris. Hay muchos colores en el arco iris y el mundo los necesita a todos.

Lo más maravilloso acerca de nosotros como seres humanos, es que mientras estemos vivos y lúcidos, seremos capaces de elegir. ¿Y qué, si te han pisoteado? ¿Y qué, si tu padre es un alcohólico? ¿Y qué, si han abusado de ti? ¿Y qué, si eres pobre? ¿Y qué, si no tienes educación? ¿Y qué, si tu negocio está en bancarrota? ¿Y qué si antes has tenido fracasos amorosos? ¿ Y qué, si no tienes trabajo? Siempre puedes escoger ser aquello que quieres ser y tener el tipo de vida que desea. Por fortuna, vivimos en un país que nos permite esto. Los anales de la historia están llenos de personas que han superado obstáculos en su camino hacia la cumbre de su grandeza. Tú también puedes hacerlo. Abre la jaula que tiene prisionera tu mente y déjala volar. Permítete expresar y experimentar la libertad que llega al saber que puedes ser, hacer y tener cualquier cosa que quieras. Si caes y fracasas, no importa. No es el fin del mundo. Mientras sigas respirando, todavía tienes el mañana para volver a perseguirla.

Yo soy de Oklahoma, y mi padre solía decirme cuando yo estaba creciendo: "Punkin, no hay nada tan malo que no podamos poner en el suelo, sacudirnos el polvo y seguir corriendo. De modo que no sufras por las cosas pequeñas". En lo más profundo de cada fibra de mi cuerpo creo que esto es así. Depende de ti si vas a permitir que alguien asesine tu sueño. Entonces, ¿qué eliges? ¿Piensas abandonar y ser un títere o un mártir para los demás durante toda tu vida o vas a conseguir lo que deseas? Después de todo, si estás viviendo para otra persona, de todas maneras no estás viviendo tu vida. De modo que, ¿qué puedes perder?

Recuerda, siempre puedes caer al suelo, sacudirte el polvo y seguir corriendo. No sufras por las cosas pequeñas y, en términos generales, ¡son todas cosas pequeñas!

> *El sueño nos concede aquello*
> *que anhelamos estando despiertos.*
> —PROVERBIO ALEMÁN

Quizás encuentres que volver a ponerte en contacto con tus sueños requiere de un poco de práctica; especialmente si has estado viviendo cómodamente en una rutina durante unos cuantos años. La rutina puede ser muy poderosa, y sin embargo la rutina no es más que una serie de hábitos. Por extraño que parezca, con frecuencia sentimos un gran afecto por nuestra posición dentro de esta rutina, incluso cuando no nos resulta placentera. Fue Goethe el que dijo: "El hábito es el único consuelo del hombre. Nos disgusta prescindir incluso de las cosas desagradables a las que nos hemos acostumbrado". Por desgracia esto suele ser verdad. Pero recuerda que puedes elegir, y puedes elegir salir de esa rutina.

Quizás al principio te parezca que no tienes ningún sueño, y eso no tiene importancia. Después de todo, cualquier habilidad que no ejercitemos o utilicemos tenderá a oxidarse. No obstante, existe una manera muy rápida de aclarar esta confusión. Te voy a pedir que hagas un pequeño viaje mental conmigo.

Imagínate que estás en una gran isla tropical caminando por una playa de arena blanca. Al mirar hacia el cielo, te parece como si fuese una película infinita de azul que continúa eternamente, con unas borlas de blanco puro de nubes que pasan ocasionalmente flotando. El sol calienta tu piel mientras caminas, y te sientes feliz al sentir que el agua baña tus pies y los refresca mientras paseas por la playa.

Al contemplar el turquesa cristalino del mar, puedes ver los peces y las conchas que hay en el fondo. Estás observando las múltiples formas de vida que hay en el agua cuando, de repente, tropiezas con algo y caes. Después de sacudir la arena que hay en tus ojos, ves que has caído sobre una botella cubierta de joyas incrustadas. Al observarla con mayor detenimiento, ves que tiene una tapa. Le quitas la tapa y, repentinamente te ves rodeado de humo. Cuando el humo ha desaparecido, ves que hay un genio delante de ti. El genio te habla y dice: "Gracias por liberar mi alma. Quisiera pagar tu bondad. Te concederé tres deseos de cualquier cosa que quieras. ¿Cuál será tu primer deseo? ¿Qué es lo que más quieres en este mundo?"

Escribe tu primer deseo.

_____

_____

_____

_____

Cuando hayas terminado, da un paso adelante y di: "Hola". Acabas de ser presentado a tu primer sueño.

Escribe tus otros deseos.

_____

_____

_____

Ahí los tienes: tres sueños. Quizás estés pensando que esto suena un poco sensiblero, demasiado simplista. No hay ningún problema con ser escéptico pero, créeme mediante este tipo de imaginación vívida puedes conseguir cualquier cosa que desees.

Date cuenta, si las cosas fueran exactamente como tú las deseas en estos momentos, no estarías leyendo este libro ¿o sí? No te engañes. Hazte la famosa pregunta de Robert Schuller: "¿Cuán grande sería tu sueño si supieras que no puedes fallar?" La respuesta a esta pregunta dice mucho acerca de lo que realmente deseas.

¡Felicitaciones! Has completado el Primer Paso. Ahora ya tienes algunas imágenes mentales de los sueños que te gustaría que se hiciesen realidad en tu vida. También has abierto la puerta de tu creatividad y de tu parque de diversiones mental. No tengas miedo. Entra ahí dentro y juega hasta contentar a tu corazón. Los sueños no son propiedad pública a menos que tú así lo decidas. Hasta entonces, son tu propiedad privada y no están sujetos a críticas, de modo que diviértete.

Otra manera de hacer una lista de sueños es ser consciente de las veces que dices "Ojalá...tal y cual" o "Si sólo...tal y tal cosa..." y escribirlo. Algunas de estas cosas serán de poco o ningún valor porque sencillamente estabas conversando contigo mismo y no iba muy en serio aquello que decías. Pero algunas de ellas te entusiasmarán cuando pienses en su realización. Puede que se trate de cosas que dijiste en voz alta o que te dijiste a ti mismo o a ti misma. Los "Ojalá" o "Si sólo" que te dices a ti mismo son generalmente importantes para ti, de manera que habitúate a incrementar tu conciencia de ellos y a escribirlos. No dejes los detalles.

Cuanto más sensorialmente gráfica sea tu descripción de lo que deseas, más fácil será que lo consigas.

Cuando yo me encontraba reconstruyendo mi vida, empecé a hacerme un cuaderno de imágenes de cómo quería que fuese mi vida. Esto puede sonar extraño, pero funciona. Recorté imágenes de revistas que ilustraban para mí el tipo de imágenes que quería tener en mi propia vida. Recorté fotos de parejas enamoradas, familias felices, el tipo de casa en la que quería vivir, el tipo de automóvil que quería conducir, las joyas que me gustaban, los sitios que quería visitar, etc. Empecé a hacer mi cuaderno hace 15 años y hay unas pocas cosas en él que todavía no tengo. Fíjate que he dicho "todavía".

Me impresiona el poder de la mente. Cuando le enseñas a tu mente lo que deseas, las circunstancias de la vida empiezan a construirse de manera tal que atraes esas cosas. Creo que los pensamientos son cosas y que aquello que deseas en tu vida no aparecerá hasta que hayas procesado su equivalente mental en tu mente. En otras palabras hasta que hayas conseguido que aquello que deseas sea algo tan real en tu mente que casi puedas saborearlo y tocarlo, la probabilidad de que aparezca en tu vida es remota. No obstante, una vez que hayas construido una imagen tan clara en tu mente que toda duda acerca de su realización haya desaparecido, no te sorprendas cuando se manifieste en tu vida porque ocurrirá.

> *¿Qué sería de la vida si no tuviésemos*
> *el coraje de intentar nada?*
> —Vicent Van Gogh

¿Por qué nos parece tan difícil poner energía en nuestros sueños y hacerlos realidad? Creo que la razón principal es porque tenemos miedo de correr el riesgo. Estamos dispuestos a vendernos y a conformarnos con una vida promedio siempre que no tengamos que experimentar sentimientos de ansiedad. Mucha gente tiene tanto miedo de salirse de la norma que casi no existen.

Limitarse a existir, a arreglárselas, o limitarse a llegar a fin de mes, eso no es vivir. Bueno vivir, amigo mío, vivir de verdad, implica un cierto riesgo. Descubrirás sin embargo, que vale muchas veces el precio que pagas.

Para mí está muy bien decirte todo esto, pero no te da ninguna respuesta, ¿verdad? Dominar el riesgo requiere de práctica, pero debes empezar por algo para lograr tus objetivos. Siempre se ha dicho que mañana es, con frecuencia, el día más ocupado de la semana. No esperes a mañana para vivir tu vida. Mañana nunca llega y quizás tu coraje y tu deseo no sean capaces de esperar a que llegue el momento más propicio. Te debes a ti mismo empezar ahora mismo.

> *Soy infiel a mis propias*
> *posibilidades cuando espero*
> *que un cambio de las circunstancias*
> *haga aquello que puedo hacer*
> *por mi propia iniciativa.*
> —KARL JASPERS

A la madura edad de cinco años, empecé a estudiar formalmente el piano clásico. Me sumergí en el piano como un pato en el agua y me volví muy diestra a una edad muy temprana. Al mismo tiempo, a pesar de mi habilidad, había una circunstancia que provocaba terror en mi corazón: *Los recitales.* Practicando en casa me iba muy bien. Recordaba todas las notas, era melódica y tocaba con mucho estilo y expresividad. Todo esto parecía irse al traste en cuanto me subía al escenario. Mis rodillas temblaban, mis dedos se volvían gelatina. ¿Qué era lo que me retenía? ¡El miedo!

Salir al escenario me volvía vulnerable, lo cual me asustaba. Mi temor se basaba en lo que los demás pudieran pensar de mí. Si me olvidaba de la melodía, la gente pensaría que era estúpida. Si mi técnica era mala, la gente pensaría que yo no estaba preparada. Si no hacía una buena actuación, mi profesor estaría decepcionado de mí. Si lo hacía mal, mis padres se avergonzarían de mí. Todo esto era ridículo, por supuesto, pero yo había permitido que me aterrorizara. Estaba perdiendo el placer de tocar el piano.

A los nueve años normalmente no hemos tenido muchas experiencias enfrentándonos al riesgo. Sin embargo, a esa edad, decidí que si iba a continuar siendo una pianista clásica, tendría que aprender a dominar el miedo. Empecé con pequeños recitales privados de estudio. Antes de la actuación, me mentalizaba psicológicamente convenciéndome que tocaría impecablemente y los dejaría a todos impresionadísimos. Para mi sorpresa, ¡eso era exactamente lo que sucedía! Ese éxito ayudó a darme confianza y avancé hacia algo mucho más grande: los concursos de la Asociación Nacional de Piano.

Mi meta era ganar el premio a la excelencia por actuación sobresaliente. Lo enfoqué de la misma manera que a los recitales privados de estudio. Antes de la actuación, me mentalicé para convencerme que iba a tener una actuación maravillosa. Aún así continuaba nerviosa. Los nervios no se fueron, pero continué diciéndome a mí misma que podía hacerlo. Aquel año gané el premio a la excelencia. Había derrotado al miedo que había en mi interior. *¡Había ganado!* El riesgo se me hizo más fácil. No sólo gané ese año, ¡sino que gané el premio durante los siete años siguientes! Cada año me costaba menos, incluyendo el año en que toqué 15 selecciones clásicas (de no menos de 11 páginas) completamente de memoria. Como ves, realmente podemos hacer cualquier cosa que nos propongamos cuando nos preparamos mentalmente para ello.

Ahora bien, algunos de estarán leyendo esto y pensando, "Es una bonita historia sobre una niña pequeña, pero ¿qué tiene esto que ver con los retos a los que uno se enfrenta en la vida adulta?" Todo. Verás, una voluntad inalterable en la persecución de tus sueños es fundamental, así tengas cinco o cincuenta y cinco años.

Cuando decidí empezar un negocio por mi cuenta, no fue una decisión segura ni racional. Mi marido acababa de iniciar un negocio nuevo por su cuenta y nos acabábamos de casar. Yo no tenía el dinero necesario para empezar un negocio. No tenía un plan para el negocio. No tenía ninguna garantía con la cual ir a un banco a pedir un préstamo. Todo lo que tenía era el sueño apasionado de convertirme en una conferencista profesional porque sabía que mi vida tenía con consistir en impactar las vidas de cientos de miles de personas de una forma positiva, y se había vuelto obvio para mí que la única manera de hacerlo era siendo conferencista. De modo que financié la deuda de mi tarjeta de crédito (cosa que no recomiendo) y me di 90 días para lograrlo. Me puse a correr como loca.

¿Cuál era mi motivación? El miedo: había arriesgado todo. No tenía otra alternativa más que conseguirlo. No hace falta decir que eso se llama correr un riesgo, o más apropiado aún: dar un salto de fe. Al final de los 90 días decidí concederme otros 90 días. Después de haber trabajado para mí misma durante tres años, finalmente decidí que iba a funcionar. Si no hubiese estado dispuesta a asumir el riesgo necesario para dar a luz a mi sueño, probablemente seguiría siendo tan sólo un sueño y no la realidad que hoy vivo.

Sea cual sea tu sueño, no permitas que el miedo al riesgo te lo robe. Empieza por una parte pequeña de tu sueño y realízala. Esto te dará el coraje para continuar con el siguiente paso. Cada paso se va haciendo más fácil y te prepara para un reto mayor. Es así como la vida cambia del sobrevivir al vivir. Y no sólo vivir, sino vivir con entusiasmo.

Lidiar con el miedo al riesgo y superarlo es solamente uno de los obstáculos que hay entre una persona y la realización de sus sueños. A menudo nos encontramos dando excusas por no estar haciendo aquello que verdaderamente deseamos hacer.

Excusas que matan los sueños (y, por ende, a la vida) que hay en nosotros van desde "no tengo tiempo" a "estoy demasiado viejo" hasta "No tengo el dinero" Estas excusas no son más que la lógica de tu mente y la razón que retan a tu espíritu. Es tu justificación por estar negándote a ti mismo y tu verdadera identidad al conformarte con el mero hecho de existir.

> *La carrera de un artista*
> *empieza siempre mañana.*
> —James McNeill Whistler

Cuando parece que no somos capaces de reunir la energía necesaria para hacer otra cosa, resulta que siempre encontramos fuerza para crear excusas. Creo que una excusa es como el "coco", en el sentido de que te impide ser, hacer o tener aquello que deseas. Lo gracioso de esto es, sin embargo, que una vez confrontadas las excusas, pierden su poder. ¿Recuerdas cuando eras pequeño y te encontrabas solo en tu habitación de noche, a oscuras? De repente oías un ruido, y luego otro y otro. Un minuto después estabas convencido que había algo en tu habitación, intentando atacarte. Te morías de miedo. Tu corazón latía a mil por hora. Saltabas de la cama y corrías lo más rápido que podías hasta el interruptor de la luz. Encendías la luz y, para tu sorpresa, no había nada ahí. La calma volvía a tu habitación. Te sentías mejor.

Los temores que tienes (y las excusas que creas para cubrirlos) son como esos aterradores ruidos en la noche. Enfrentarse a estos miedos y abandonar las excusas es como encender la luz. Te devolverá la calma y te permitirá ir en busca de la realización de tus sueños sin miedo.

Otra cosa que impide que la gente realice sus sueños es la falta de decisión. Yo hago muchas presentaciones cada año en las cuales hablo con gente acerca de cómo salir del punto muerto y continuar con sus vidas. Al ver a miles de personas todos los años, he aprendido una lección. El grado en que experimentas la falta de decisión en tu vida será directamente proporcional a la medida en que sientas que no te mereces realizar tu sueño. Al no tomar decisiones, al menos tienes una excusa para el por qué no has conseguido aquello que querías.

Otra cosa que nos achacamos para justificar nuestra inactividad es decirnos a nosotros mismos que todo son impedimentos en nuestro caso. "Soy demasiado mayor"; "Soy demasiado joven"; "Soy demasiado feo"; "No puedo permitírmelo"; "Estoy demasiado ocupado". Reconoce lo que estás diciendo en realidad: que no crees que seas capaz de hacerlo; que eres incapaz. No estoy diciendo solamente que no crees que puedas hacerlo porque tus circunstancias y una serie de acontecimientos están en tu contra. Estoy diciendo que tú no crees realmente que eres capaz de hacerlo, *bajo ninguna circunstancia*. ¡Punto! Si te parece que esta afirmación te molesta ¡estupendo! Eso significa que todavía tienes posibilidades. De modo que entra ahí y lucha por ti mismo.

La típica excusa de aquellos
que provocan problemas a los demás
es que lo hacen
con la mejor de las intenciones
—VAUVENARGUES

Uno de los mayores obstáculos para las personas que quieren ser quienes saben que son, es el miedo a lo que los demás pensarán. ¿Es este un obstáculo para ti? ¿Te paraliza?

Estar en el negocio de los seminarios me permite observar el desfile de la vida a gran escala. He escogido hacer del mundo mi laboratorio. Cada persona que conozco, o que tengo la oportunidad de observar, me enseña una lección. Esa persona se convierte en mi objeto de estudio y de análisis. Al observar el poder de influencia que otros utilizan sobre nosotros, he aprendido un par de lecciones maravillosas. Primero, si alguien me dice que yo "debería" comportarme de cierta manera, esa persona me está manipulando. Generalmente esta manipulación ayuda a la persona a llenar un vacío o a satisfacer una necesidad de su propia vida, pero me está utilizando a mí para hacerlo. En el reino animal esto se llamaría una relación parásito. Como todos sabemos muy bien, los parásitos acaban matando al sujeto o al menos lo debilitan considerablemente. Esto no suena muy bonito, ¿verdad? No obstante, si estás permitiendo que tu vida sea dictada por los caprichos y la influencia de otra persona, estás aceptando que te chupen la vida.

La segunda lección que he aprendido es una muy breve. Cada vez que oigo a alguien decir, "Te lo digo por tu propio bien", no escucho porque generalmente *no es cierto*.

La mitad de los fracasos en la vida surgen
cuando uno tira de su caballo
cuando éste está dando brincos.
—J.C. y A.W. Hare

Los soñadores y sus sueños, ellos son los que hacen que el mundo valga la pena. Es lo que nos separa de las bestias del campo y de la carrera por la supervivencia del más fuerte. Hemos visto muchas de las cosas que podrían estar deteniéndote. La pregunta que tienes que hacerte ahora es: ¿Estás preparado para realizar tus sueños? Creo que estás a punto de crear algo realmente maravilloso en tu vida. Algo dentro de ti está clamando para salir y ser libre, de no ser así no estarías leyendo este libro. Cree en ti mismo o en ti misma. Eres el mejor "tú" que vas a tener nunca.

Claro que vas a enfrentarte a algunos riesgos, pero como dice Bob Trask en sus cintas *Ganando Todo el Tiempo,* "Para ganar hay que arriesgar". Permítete ganar y dile al mundo que esté atento. Abandona las cadenas que te han tenido atado. Eres como un globo de helio. Todo lo que tienes que hacer es cortar la cuerda y ¡Volarás!

Alimento para el pensamiento

Es importante tener sueños en todas las áreas de tu vida. Concédete un momento para responder las preguntas que hay más abajo. Si descubres que no tienes una respuesta inmediata para algunas de ellas, no importa. Mucha gente no tiene sus sueños clarificados. En el próximo capítulo aprenderás a cristalizar tus sueños, llevándolos de lo abstracto a lo concreto. Responde tantas preguntas como puedas. Podrás completar el resto más tarde.

Tejiendo Sueños

1. ¿Tienes el trabajo de tus sueños? Sí___ No___
Si has contestado que no, ¿cómo sería el trabajo de tus sueños?

_____

_____

_____

_____

2. ¿Tienes actualmente una relación amorosa íntima en tu vida, que te apoye en tu crecimiento?____sí____no
Si has contestado que no, tómate el tiempo necesario y describe la relación de tus sueños lo más detalladamente posible.

_____

_____

_____

3. ¿Tienes el tipo de amistades que te gustaría tener en tu vida? Si ___ No ____
Describe a tu mejor amigo ideal.

_____

_____

_____

4. ¿Tienes relaciones enriquecedoras con todos los miembros de tu familia? Sí ___ No ____

¿Cuáles necesitan mejorar?

_____

_____

_____

¿Qué tendría que cambiar para que mejoren?

_____

_____

_____

5. ¿Estás bien económicamente? Sí ____ No ____
   ¿Qué haría falta para que estés económicamente seguro?

_____

_____

_____

6. ¿Tienes el estilo de vida que te hace feliz? Sí ____ No ____
   Si el dinero no fuese un problema y pudieras tener cualquier cosa que quisieras, ¿qué tipo de vida vivirías?

7. ¿Tienes problemas de salud? Sí ____ No ____
   Si tu respuesta ha sido que sí, ¿cómo sería un perfecto estado de salud para ti?

_____

_____

_____

8. ¿Eres feliz? Sí ____ No ____

   ¿Qué cambios harían falta para hacerte feliz?

   _____

   _____

   _____

9. ¿Qué cosa "loquísima" has querido hacer siempre, pero has sentido que no podías?

   _____

   _____

   _____

   _____

10. ¿Qué te impide hacerlo?

   _____

   _____

   _____

   _____

Capítulo IV

¿ANTE UNA BIFURCACIÓN DEL CAMINO?
Clarificando lo que quieres

> *No es necesaria mucha fuerza*
> *para hacer cosas,*
> *pero hace falta una gran fuerza*
> *para decidir qué hacer.*
> —ELBERT HUBBARD

LO QUE TU DESEAS TE DESEA

Si alguna vez estamos en duda
acerca de qué hacer,
una buena regla es preguntarnos
qué lamentaremos al día siguiente
no haber hecho.
—Sir John Lubbock

Logros de mi Vida

Si has tenido alguna dificultad en responder a todas las preguntas del capítulo anterior, no te preocupes. Recuerda, la confusión es el preludio a la claridad. La experiencia me ha enseñado que cuando estoy más confundida es cuando más cerca estoy de obtener mi respuesta.

Muchas veces, cuando estamos absolutamente confundidos en relación con nuestra vida y a lo que queremos hacer de ella, la respuesta aparece delante de nuestras narices. Creo que esto sucede porque algunos de nosotros estamos tan orientados hacia el control que, si no experimentamos la confusión, no estamos abiertos a las sugerencias.

Muchas personas tienen dificultad para decidir lo que desean. De hecho, quizás descubras que incluso cuando tienes una imagen clara y cristalina de lo que quieres, no has acabado. ¿Por qué? Al crecer y cambiar, también cambia la imagen de lo que deseas en tu vida. De manera que es siempre un proceso de evolución.

Hay, sin embargo, algunas cosas que puedes hacer para proveerte de una mayor orientación con el fin de incrementar las posibilidades de realizar tus sueños. Realizar tus sueños es importante porque, según yo lo entiendo, sólo pasamos por *esta* vida una vez. No pongas a tus sueños de lado por tanto tiempo que acabes perdiendo la oportunidad de vivirlos.

Estamos demasiado familiarizados con la trágica escena de la viejita muriendo insatisfecha en alguna residencia para ancianos del condado. Pasó por su vida de rodillas fregando los suelos como mujer de la limpieza, ganándose la vida en el juzgado del condado durante 30 años. En su lecho de muerte experimenta la oportunidad de reflexionar sobre su vida. Lamenta no haber desarrollado su talento como bailarina. Ahora sus piernas ya no podrán bailar nunca más; triste pero cierto. Cuando nuestra vida llega a su fin, no hay manera de dar marcha atrás en el tiempo para concedernos la oportunidad de hacer aquello que realmente deseábamos hacer. Es ahora cuando tenemos la oportunidad. Esto suena simplista pero, ¿estás aprovechándolo realmente?

No vendas tu vida por unos pocos dólares, por la seguridad y un reloj de oro cuando te jubiles. La vida es demasiado valiosa. Es una blasfemia considerar la *posibilidad* de no desarrollar los talentos que tienes. Fue Kahlil Gibran el que dijo: "Me consideran loco porque no estoy dispuesto a vender mis días por el oro; y yo los considero locos porque creen que mis días tienen un precio". Tus días no tienen precio, de manera que debes decidir lo que quieres hacer con ellos.

Siempre me he considerado una persona con objetivos claros, que vive la vida en dirección a un cierto fin. No obstante, descubrí que, ante la pregunta de qué era lo que realmente quería hacer con mi vida, no tenía ninguna respuesta. Tenía tan sólo generalidades, y con generalidades no se llega a ninguna parte. Es como estar en Colorado, preguntar cómo llegar hasta Tulsa, Oklahoma, y obtener una respuesta como: "Bueno, está entre Kansas y Texas". Como dice el viejo refrán, "Cerca sólo cuenta si vas a caballo". En la vida no te da más que oportunidades perdidas.

Por supuesto que, al contemplar mi vida, podía darte una idea general de lo que quería hacer profesionalmente y en mis relaciones personales, pero tenía más que ver con mantener el status que con lo que yo quería hacer *realmente*. No tenía planes específicos para conseguir lo que quería porque nunca me senté verdaderamente a escribir en términos concretos. "¿Qué es lo que realmente quiero?" ¿Lo has hecho tú? La mayoría de las personas no lo han hecho.

Supongo que una de las razones es que, hoy en día, parece que todo el mundo está muy ocupado. Fíjate si esta escena te resulta familiar:

Te despiertas por la mañana después de haber golpeado al despertador demasiadas veces. Miras el reloj y empiezas el día en un estado total de pánico. ¡Oh Dios mío, se ha hecho tarde! Saltas de la cama y vas corriendo por toda la casa a velocidad record. Arrancas a los niños de sus camas, los vistes antes de que tengan la oportunidad de terminar de abrir los ojos, les pones algún desayuno "instantáneo" en la boca y sales corriendo por la puerta en un segundo para que puedan coger al autobús y no lleguen tarde al colegio. Saltas a tu automóvil y vas gritando por la carretera. Por supuesto, como siempre, algún idiota se ha quedado dormido ante el semáforo mientras tú te pones histérica en el automóvil de atrás.

Finalmente llegas a la oficina. Trabajas duro durante todo el día. Cuando sales del trabajo, corres a recoger a los niños y llevarlos a sus eventos deportivos, a sus clases de música, danza, etc. Llegas a casa justo a tiempo para hacer una cena rápida, la cual se comen los distintos miembros de la familia a diferentes horas. Miras un poco la tele, quizás leas el periódico, quizás hagas un poco de gimnasia y luego caes sobre tu cama, en la cual entras instantáneamente en un estado de coma porque estás agotada. Entonces, antes de que te des cuenta, suena el despertador y lo haces todo otra vez. ¡A esto le llamamos *vida*! ¿Te suena familiar? ¿Te sorprende que no hayas tenido tiempo de decidir lo que quieres en la vida? Ciertamente, no me sorprendería que no lo hayas pensado ni por un minuto.

No concedernos el tiempo para preocuparnos por nosotros mismos es la razón por la cual tenemos un mundo lleno de participantes apáticos. Están obrando de acuerdo con las normas. No hay fuego en la vida de las personas porque están viviendo el sueño de alguna otra persona o representando el papel de alguna otra persona.

Cuando yo me di cuenta que estaba viviendo mi vida sin saber lo que quería, se volvió simultáneamente evidente para mí que estaba existiendo y no estaba viviendo. Aquel pensamiento me asustó. Me di cuenta que desperdiciar un momento significaba que lo había perdido para siempre. No podía volver a capturarlo ni a recrearlo. Se había ido. Sabía que no soportaría reflexionar sobre mi vida en mis últimos años y decir: "Ojalá hubiese hecho tal y tal cosa". Eso me destrozaría el corazón. Por lo tanto, decidí cambiar el curso de mi vida. Si no has establecido un compromiso contigo mismo acerca de lo que quieres hacer con tu vida, quizás las siguientes ideas te ayuden.

Cualquier tipo de duda no puede
ser resuelta más que con la acción.
—THOMAS CARLYLE

Mi primera prioridad era determinar lo que realmente quería hacer. Es fácil hacer aquello que pensamos que "deberíamos" hacer o aquello que los demás "quieren" que hagamos. Pero hasta que no seas honesto contigo mismo acerca de lo que *tu* quieres hacer, no te entusiasmará vivir tu vida. Te sentirás oprimido, y esto suele acabar en una depresión. Dependiendo de cuán seria sea, puede llegar a poner en peligro tu vida. Te matará rápidamente mediante el suicidio o lentamente a través de una vida desperdiciada.

Entonces, ¿cómo decides qué hacer? El mejor punto de partida es preguntarte: "¿Qué me gustaría decir que he hecho, al final de mi vida?"

Haz una lista y escribe todo lo que venga a tu mente. Deja que las ideas fluyan. No juzgues. Escríbelas todas.

Logros de mi vida

Imagina que no te ponen ninguna restricción. Puedes tener cualquier cosa que tu corazón desee y puedes hacer cualquier cosa que quieras hacer. No existen obstáculos. Haz una lista de 25 cosas que harías si esto fuera cierto.

Hazlo Ahora

1. _____

2. _____

3. _____

4. _____

5. _____

6. _____

7. _____

8. _____

9. _____

10. _____

11. _____

12. _____

13. _____

14. _____

15. _____

16. _____

17. _____

18. _____

19. _____

20. _____

21. _____

22. _____

23. _____

24. _____

25. _____

Al averiguar lo que queremos hacer con nuestras vidas, es importante descubrir lo que no interesa realmente, lo que nos entusiasma y nos da alegría. He aquí la razón: cuando estás haciendo aquello que amas, sueles tener éxito con mayor facilidad. Verás, se supone que la vida no sea una lucha. Nosotros creamos la lucha.

Haz una lista de 100 cosas que te interesen, que encuentres excitantes y estimulantes. Quizás tengas que hacer varios intentos hasta completar esta lista, porque quizás no estés acostumbrado a la idea de vivir con tanta abundancia en tu vida.

En consecuencia, podría ser un reto para ti pensar en 100 cosas que te interesen y que te den alegría. No importa si tardas días, o incluso semanas, en completar la lista. Mantén este libro cerca de ti. Cuando venga algo a tu mente que realmente te guste, coge el libro, busca estas páginas y escríbelo.

EMPIEZA AHORA

Haz una lista de 100 cosas, actividades, etc. que te interesen y te hagan feliz

1. _____

2. _____

3. _____

4. _____

5. _____

6. _____

7. _____

8. _____

9. _____

10. _____

11. _____

11. _____

12. _____

13. _____

14. _____

15. _____

16. _____

17. _____

18. _____

19. _____

20. _____

21. _____

22. _____

23. _____

24. _____

25. _____

26. _____

27. _____

28. _____

29. _____

30. _____

31. _____

32. _____

33. _____

34. _____

35. _____
36. _____
37. _____
38. _____
39. _____
40. _____
41. _____
42. _____
43. _____
44. _____
45. _____
46. _____
47. _____
48. _____
49. _____
50. _____
51. _____
52. _____
53. _____
54. _____
55. _____
56. _____
57. _____

58. _____
59. _____
60. _____
61. _____
62. _____
63. _____
64. _____
65. _____
66. _____
67. _____
68. _____
69. _____
70. _____
71. _____
72, _____
73. _____
74. _____
75. _____
76. _____
77. _____
78. _____
79. _____
80. _____

81. _____

82. _____

83. _____

84. _____

85. _____

86. _____

87. _____

88. _____

89. _____

90. _____

91. _____

92. _____

93. _____

94. _____

95. _____

96. _____

97. _____

98. _____

99. _____

100. _____

Cuando hayas completado la lista, vuelve atrás y piensa un poco en cada punto.

Si tus intereses están orientados a lo profesional, encuentra, por lo menos, cinco maneras de hacer más dinero con ese interés. Hazlo con cada uno de los 100 puntos. Descubrirás que algunas cosas te entusiasman más que otras y las ideas irán llenando la página a medida que vayas escribiendo. Estos son los puntos en los que debes centrarte. Con ellos, tendrás los recursos internos necesarios para hacer llegar este deseo a tu realidad. Tienes el poder para hacer que estas cosas sucedan ahora mismo. Estás preparado para ellas. Tu creatividad está esperando para ser liberada para apoyarte en la obtención de tus deseos.

Si tus intereses están orientados hacia las relaciones o son del ámbito filantrópico, utiliza el mismo proceso, pero adapta el pensamiento adicional para apoyar esta orientación. Si, por ejemplo, deseas una relación amorosa en tu vida, empieza por hacer una lista de las cualidades que quisieras que esa persona tenga (vuelve al ejercicio que hiciste al final del Capítulo 3.) Luego pregúntate:"¿Tengo yo estas cualidades?" Si la respuesta es "No", haz un plan para cultivarlas. Hazlo con cada uno de los puntos de tu lista.

Esto es importante porque, dentro del equilibrio de la vida, existe una ley natural que siempre actúa. Es la ley que dice: "Los iguales se atraen". ¿Recuerdas el viejo cliché: "Los pájaros con el mismo plumaje viajan juntos?" Hay mucha verdad en ese dicho. Significa que las personas, cosas, acontecimientos y circunstancias de nuestras vidas son un espejo de nosotros mismos. Por lo tanto, si buscamos el cambio, debemos empezar por cambiar nosotros mismos y cambiar nuestras percepciones. ¿Captas la idea?

Cuando hayas completado tus tres listas, míralas juntas. Al mirar las listas una junto a la otra, empezarás a ver algunos hilos comunes que pasan por las tres. Estas son las cosas que debes perseguir. A veces la gente cree que esto se puede hacer mentalmente, sin escribirlo. Créeme, no se puede. ¿Has intentado alguna vez comparar entre 300 y 500 cosas mentalmente? Si eres capaz de hacerlo, entonces Einstein debería haber sido tu alumno.

Otro de los beneficios de escribir esta información es que te permite darle una mirada objetiva a aquello que quieres hacer. El principal propósito de esta actividad es despejar tu mente de bloqueos y obstáculos y centrarte en las soluciones.

> *Para aquel que no tiene capacidad*
> *de concentración,*
> *no hay tranquilidad*
> —Bhagavad Gita

A partir de tu lista, formularás un plan para la realización de tu sueño, paso a paso. Selecciona los tres sueños más importantes que quieres realizar y empieza. La manera más fácil de hacer esto es empezar por el resultado final e ir hacia atrás. Permíteme que te explique lo que quiero decir.

Recuerda que dije que durante toda mi vida he sabido que lo que haría en la vida afectaría a cientos de miles de personas. Cuando quise ser más específica para determinar lo que realmente quería hacer, escribir un libro fue uno de los pasos de acción que escogí para ayudar a la realización de mi sueño. Empezando por el resultado final, seleccioné el día que quería que el libro saliese a la venta. Interrogué al editor acerca del tiempo que tenía que transcurrir desde que le entregara el texto hasta que éste estuviese en las estanterías de las librerías. El esbozo de los capítulos era el siguiente paso crucial. ¿Cuántos capítulos quería ponerle? ¿Cuántas páginas en promedio quería que tuviese cada capítulo? Al centrarme en estos detalles, al poco tiempo ya sabía cuántos capítulos tenía que terminar cada semana y cuántas páginas debía escribir al día. Al ceñirme a esta programación me resultó muy fácil escribir el libro. No obstante, un año antes hubiese considerado que escribir un libro era una tarea imposible. Verás, hace un año yo sólo veía el problema y no veía los pasos necesarios para su solución.

El mensaje que estoy intentando transmitirte es que puedes ser, hacer y tener cualquier cosa que quieras. El truco es llevarlo a cabo en porciones minúsculas. Lo único que te impide tener lo que deseas es el miedo. Ese miedo adquiere poder cuando contemplas tu situación como una suma global. Nos parece como si hacer realidad nuestros sueños fuese algo imposible porque los vemos como algo lejano, que no está a nuestro alcance. Si alguien pusiera una sandía delante de ti y te dijera: "Cómetela entera", te sentirías presionado a comértela toda de un bocado. Sin embargo, si te tomaras el tiempo necesario y la comieras poco a poco, podrías devorarla entera. La realización de tus sueños puede funcionar de la misma manera.

Deja que el poder de la planificación trabaje para ti. Te sorprenderá lo poderoso, entusiasmado y confiado que te sentirás. La mejor manera que conozco para deshacerte del aburrimiento y de la sensación de mediocridad es dando un paso cada día hacia la realización de tu sueño. No importa cuán pequeño sea el paso. Cada cosa que hagas te otorgará más poder. Es divertido, también porque tus amigos y tus seres queridos se sorprenderán con tus avances. Lo verán como un logro de un día para el otro. Acepta los elogios y sonríe cálidamente, sabiendo que durante algún tiempo has estado dirigiendo tu propia revolución personal.

*Una mitad de saber lo que quieres
consiste en saber lo que debes abandonar
antes de conseguirlo.*
—SYDNEY HOWARD

Una de las primeras cosas que tendrás que abandonar para conseguir lo que deseas es la indecisión. Repasar las listas que comentamos te dará una cierta claridad con relación a la dirección que deberías tomar. A algunas personas les cuesta ver el camino a seguir con claridad, a pesar de todo el análisis, todas las listas y toda la lógica. Cuando descubro que esto me está sucediendo, escucho a mi pequeña voz interior. Algunas personas llaman a esto intuición. A estas alturas, sé que debo escucharla antes que nada, porque siempre tiene razón. Sin embargo, por alguna razón, no consigo deshacerme por completo del ego, que dice: "No puedo comprender esto por mí mismo, de una forma lógica". Esto suele hacer que el camino hacia donde quiero llegar sea más largo.

La manera más fácil que conozco para determinar si estás en el camino correcto o no, es examinar tus sentimientos y los acontecimientos que están ocurriendo en tu vida. Supongamos que estás persiguiendo los tres primeros sueños de tu lista y que estás dedicando un esfuerzo a cada uno de ellos. Descubrirás que una orientación funciona mejor que las demás. Las cosas parecen más fáciles de conseguir, etc. Casi podrías apostar que este sueño satisface tu propósito. Al seguir este camino, estás haciendo lo que se supone que debes estar haciendo en la vida.

No quiero entrar en una verdadera discusión espiritual de esto; sin embargo, existen fuerzas en el Universo que nos guían hacia lo que es mejor para nosotros. La clave está en ser conscientes de las señales que marcan nuestro camino.

Cuando tomas la decisión de perseguir un sueño y poner el mayor empeño en él, te vendrá con facilidad, siempre y cuando satisfaga tu propósito en la vida. No obstante, si persigues un sueño con el mayor empeño y cada paso que das te crea un nuevo problema, lo más probable es que ese no sea el sueño que deberías estar persiguiendo. Estas son las señales que el Universo te proporciona.

Notarás que he hablado de poner el mayor empeño. No hablo de utilizar la primera pequeña dificultad que tengas como excusa para abandonar. Me estoy refiriendo a cuando lo hayas intentado todo, hayas dado lo mejor de ti y *aún así* sigue sin funcionar. Esto, entonces, es un poste indicador que te está diciendo: "No, creo que no deberías seguir por este camino. Deberías estar haciendo otra cosa". Cuanta más práctica adquieras en el uso de la intuición y del sentimiento "visceral", más consciente serás de estas señales y la vida se te hará más fácil. Simplemente tienes que aprender a no poner obstáculos en tu propio camino.

> *El miedo es estática que me impide*
> *escuchar a mi intuición.*
> —HUGH PRATHER

A pesar del hecho de haber preparado diligentemente tus listas y de haber hecho planes concretos, quizás continúes sintiendo el mismo miedo de vez en cuando. Cuando estoy a punto de "conseguirlo", el miedo aparece para hacer un denodado esfuerzo más para intentar mantenerme en mi bache.

El miedo no es diferente del dictador que intenta aplastar la revolución de la gente que lucha por su libertad. Cuanto más luche la gente por su causa, mayores serán las fuerzas del dictador para reprimir su espíritu. La libertad, sin embargo, es un fuego poderoso que no se extingue fácilmente. Sólo intenta recordar que, cuando estés fabricando excusas y razones por las cuales deberías abandonar, por las cuales no podrás conseguir tú sueño, o por las cuales no vale la pena intentarlo, es el miedo el que te está ganando. En ese momento sabe mejor que tú, que estás a punto de tener éxito y de realizar tú sueño. No te des por vencido. Estás a las puertas del éxito. Aprende a escuchar a tu intuición, no a las circunstancias.

El miedo será mayor cuando estés más cerca del triunfo, y no se irá con facilidad. Sabe que si tú ganas, morirá, de modo que luchará hasta el final.

> *No hay nada mejor que los ánimos*
> *que nos infunde un buen amigo.*
> —CATHERINE BULER HATHAWAY

Para aclarar tú crecimiento y tu desarrollo, una de las preguntas que puedes hacerte es: "¿Soy el pez gordo en mi círculo de amigos?" Si la respuesta es "sí", ¡necesitas unos nuevos amigos! No estoy bromeando cuando digo esto. Lo digo en serio.

Si eres el pez más gordo de tu círculo de amigos, no estás creciendo. Estás teniendo que arrastrar a los demás contigo. Para dar un paso cuántico hacia la realización de tus sueños, necesitas de la influencia de amigos que estén más avanzados que tú en el camino. Ampliarán tu forma de pensamiento. Te harán crecer. Tirarán de ti y no permitirán que te quejes.

Permíteme que te dé un ejemplo personal. Uno de mis viejos amigos y mentores es Mark Victor Hansen. Mark es conocido a nivel mundial como motivador de negocios. Habla delante de miles de personas todos los años. Ha escrito muchos libros y es coautor del *bestseller* de The New York Times, Sopa de Pollo para el Alma.

Hace muchos años, cuando mi vida tocó fondo y yo había destruido personalmente todas las cosas que podían tener algún valor, asistí *por casualidad* a un seminario de Mark. Le había oído hablar antes, pero en este día en particular, *escuché* realmente lo que tenía que decir. Existe un dicho: "Cuando el alumno está preparado, el maestro aparece". Yo estaba preparada, ¡y ahí estaba él! Habló largo y tendido sobre el poder de establecer metas y de la visualización como un camino rápido hacia la realización de tus sueños. Compré su libro, *Future Diary*, el cual es una guía para trazar un mapa de tu vida, y en él escribí que quería que Mark Victor Hansen fuese mi amigo personal.

Esto no debe sonar como una gran cosa, pero hay que ponerlo en el contexto adecuado. En aquella época, Mark era un hombre de negocios millonario. Yo estaba al borde de la ruina. Él era un conferencista famoso. A mí nadie me conocía. Él vivía en California del Sur. Yo vivía en Denver. Las probabilidades de que nuestros caminos se cruzaran o de que nuestros círculos sociales se mezclasen eran una en un millón. Eso no me importó. Escribí en mi libro que de todos modos yo quería que Mark Victor Hansen fuese mi amigo personal.

En cuestión de unos pocos meses, empezaron a surgir circunstancias que permitieron que nuestros caminos se cruzaran. Iniciamos una amistad que ahora tiene muchos años. Nuestros hijos tienen las mismas edades y han disfrutado jugando juntos en las pistas de esquí de Aspen, donde tuve el placer de tener a Mark y a su familia como invitados. Hemos disfrutado de las maravillosas playas del mundo, hemos viajado a sitios increíbles y hemos pasado muchos, muchos buenos momentos juntos.

He aquí la clave: No tienes que saber cómo se van a solucionar las cosas. Todo lo que tienes que hacer es abrazar la visión y dar el primer paso. Si mantienes la visión con una voluntad inalterable, la vida se encargará de las circunstancias. Debes recordarlo: aquello que tú deseas te desea.

Atada fuertemente a esto, se encuentra una de las más valiosas lecciones que he aprendido en mi vida. Está relacionada con el concepto de la Mente Maestra esbozado en el libro de Napoleón Hill, *Piense y Hágase Rico*. Este concepto tiene que ver con compartir tus ideas con una o más personas de forma constante para conocer sus ideas y sugerencias respecto a lo que estás haciendo con tus sueños. Es importante ser muy selectivo al escoger a los miembros de este grupo. Deben ser personas cuyas opiniones respetes. Es sabio escoger personas a las que sientes como iguales o más competentes que tú. La idea detrás de esto es que las personas se ayuden unas a otras a lograr sus objetivos. Es el epítome de "Dos cabezas piensan más que una".

Este concepto funciona así. Busca personas que te agraden, a las que respetes y admires. Diles que te gustaría reunirte con ellas periódicamente para comentar tus objetivos y tú progreso hacia su consecución. Diles que valorarías sus ideas acerca de nuevas formas de mejorar tus resultados. El concepto funciona mejor cuando es de beneficio mutuo. Lo más probable es que estas personas estén trabajando en alguna área de su vida en la cual también agradecerían tú apoyo y tus sugerencias. Cuando encuentres a alguien así, será el principio de lo que podría ser los más grandes impulsos para lograr tus objetivos con rapidez.

Hay dos personas con las que me reúno regularmente para comentar lo que está pasando en mi vida mientras continúo con la realización de mis sueños. Respeto a estas personas y valoro sus opiniones. Cuando les cuento que voy a hacer algo, pesa más que si me lo dijera tan sólo a mí misma. La razón de esto es no sólo que respeto a estas personas, sino que quiero que ellas también me respeten. Valoro el tiempo que pasan conmigo. Las dos son personas profesionales muy ocupadas y, como tales, no se me ocurriría hacerles perder el tiempo discutiendo planes vacíos con ellas.

Esta porción adicional de presión externa crea un estándar a cuya altura debo vivir. Nadie me impone esa presión más que yo misma, pero ha demostrado ser el empujoncito adicional que necesito para ayudarme a realmente lograr mis objetivos, en lugar de limitarme a hablar de ellos.

Si le dices a todo el mundo que vas a hacer algo, no puedes permitirte retroceder. Tú ego no te lo permitirá y, en consecuencia, harás las cosas.

Otra cosa maravillosa acerca de un grupo de Mente Maestra es la lluvia de ideas que tiene lugar. Cuando dos mentes se unen, se crea una tercera mente. Muchas veces esta tercera mente es más creativa y objetiva de lo que las otras dos podrían llegar a ser individualmente. Cuando te encuentras en una situación para la cual no eres capaz de encontrar la solución, llévala a tu grupo de Mente Maestra. Quizás te sorprendas con lo rápido que surge la solución a través de la discusión. Tener con quién compartir tus dificultades permite que su solución llegue a ti porque has salido del lugar desde el cual los árboles te impedían ver el bosque.

Esta super mente que se crea en el grupo de *Master Mind* no sólo te ayuda en tus asuntos de negocios, también puede ser de una enorme ayuda en tú vida personal.

Experimenté una demostración gráfica de esto cuando estaba embarazada de mi hija Joy, nuestro primer bebé. A lo largo del embarazo, Doug y yo habíamos realizado un trabajo mental acerca del tipo de embarazo que queríamos tener y la forma en que nuestra querida bebé se incorporaría a la vida. (A cualquier mujer que esté embarazada le recomiendo el libro *The Secret Life of the Unborn Child*, de Thomas Verny y John Kelly).

Todas las noches, justo antes de irnos a dormir, Doug le hablaba a Joy cuando ella estaba en mi vientre. Le decía cosas como: "Hola, Baby Jones, éste es tu Papá. Estamos tan emocionados de que vengas a vivir con nosotros. Nos estamos preparando para ir a la cama ahora y sólo quería hacerte saber que dormimos por las noches y estamos despiertos durante el día. Buenas noches. Te queremos mucho".

Como sabíamos de muchos amigos cuyos hijos no dormían durante la noche y habiendo visto el efecto que el agotamiento tenía en sus vidas, sabíamos que debíamos ayudar a Baby Jones a entrar en nuestros horarios. A los siete días de nacida, Joy empezó a dormir toda la noche de un tirón. ¿Coincidencia? No lo creo.

Perdón por haberme ido por las ramas. Ahora, volvamos al grupo de Mente Maestra.

A pesar de que nos habíamos preparado para el embarazo, la noche que entré en el hospital para dar a luz a Joy surgió una situación que no hizo perder de vista nuestro objetivo de un parto seguro y maravilloso. En otras palabras, nos involucramos tanto en el problema, que no éramos capaces de ver la solución.

Parecía que yo era una de esas madres cuyo cuerpo se resiste a iniciar el parto. Habían pasado ya dos semanas de la fecha prevista para la llegada de Joy y no había ninguna señal de que el parto fuera a empezar. Durante la última visita al médico, me hicieron una prueba de estrés, el cual indicaba que una gran proporción del agua de la matriz se había ido (yo no había roto aguas) y el fluido que quedaba no era suficiente para proteger a Joy. Entré en el hospital y el parto fue inducido.

No habíamos previsto la situación provocada por la inducción del parto debido a una falta de fluido que protegiera al bebé. Después de varias horas, no parecíamos llegar a ninguna parte. Doug y yo habíamos permanecido solos en la sala de partos durante un rato, con la excepción de las frecuentes ocasiones en las que la enfermera entraba a comprobar cómo nos encontrábamos. De repente, nos dimos cuenta de que había como ocho enfermeras y médicos en la habitación con nosotros. Los movimientos de Joy habían puesto en marcha los monitores de la sala de enfermeras y teníamos una emergencia. No estaba moviéndose de la forma adecuada hacia el canal de parto y las contracciones la estaban empujando con fuerza debido a la ausencia de fluido.

Estábamos empezando a perder los latidos de su corazón y el cordón umbilical se había enredado en su cuello, El corazón de nuestra querida bebé estaba fallando, se estaba ahorcando y aún no habíamos podido traerla al mundo. Era crítico conseguir estabilizar su estado. Después de unos minutos de trabajo frenético por parte de nuestro equipo médico, los latidos de su corazón seguían siendo inestables, cuando de repente me vino la idea a la cabeza de que debía girarme hacia el otro lado. Joy tenía varios cables del monitor conectados a ella en mi matriz, lo cual hacía que me resultara difícil girarme; sin embargo, Joy fue estabilizada y los médicos volvieron a intentar traerla al mundo. Intentaron sacarla tirando de ella pero no funcionó. Colocaron en su cabeza un instrumento de succión que, al soltarse, hizo que la doctora cayera del taburete en el que había estado sentada. Como último recurso, los médicos utilizaron los fórceps para traerla al mundo. A pesar de que Joy estaba magullada y golpeada a causa del difícil parto, llegó al mundo sanísima y siempre ha hecho honor a su nombre. (Joy en ingles significa alegría).

Como uno podría imaginar, vino al mundo en estado de pánico, gritando a más no poder. Al menos gritó hasta que la enfermera se la pasó a su padre, el cual la tomó cuidadosamente en sus brazos y le dijo: "Bienvenida al mundo, Baby Jones. Estamos felices de tenerte aquí". Al oír su voz, dejó de llorar al instante y se tranquilizó. ¿Intenta decirme que hablarle a un bebé que está en el vientre de su madre no tiene ningún efecto sobre él o ella? Yo sé que sí lo tiene. He visto personalmente los efectos espectaculares. Doug y yo nos enteramos más tarde, que en el momento que yo tuve la repentina idea de que debía girarme hacia el otro lado, nuestro grupo de Mente Maestra se había reunido por nosotros para afirmar que el parto recibiría guía y orientación si era necesario, que los padres y los médicos sabrían *exactamente* lo que debían hacer para que Joy llegara sana y salva al mundo, y que todo iría bien.

Nuestro grupo se quedó pasmado al enterarse de lo que había sucedido, al igual que nosotros.

Nunca subestimes el poder de la mente y nunca subestimes el poder de lo que tu grupo de Mente Maestra puede significar para ti. Cuando te encuentras en situaciones en las cuales los árboles no te permiten ver el bosque, es de gran ayuda que aquellos que te quieren permanezcan concentrados en tu objetivo. Aquello que tú deseas te desea. Los pensamientos son cosas y magnetizan los resultados para sí mismos. Al alinearte con personas de mentes similares, creas una fuerza muy poderosa.

Sentí cobijo al hablar contigo.
—Emiliy Dickinson

Sin duda, el regalo más valioso que he recibido de mi grupo de Mente Maestra es el apoyo. Cuando elijas a tu grupo de Mente Maestra, escoge personas cariñosas, que te apoyen y que no sientan envidia ante la idea de que consigas lo que quieres en la vida.

He descubierto que la escalera hacia el éxito está llena de gente únicamente en la parte inferior. Al escoger rodearme de personas positivas y exitosas que se han elevado por encima de ese nivel, no tengo que lidiar con los celos. No hay competencia y no hay puñaladas por la espalda. La gente que hay en mi vida comprende que hay suficiente abundancia para todos. En consecuencia, todos nos ayudamos unos a otros a alcanzar nuestras metas, en lugar de pisarnos unos a otros para llegar primero. Realmente hay fuerza en los grupos. Cuando estás preparado para ese tipo de riqueza en tu vida, habrá alguien ahí para ayudarte a conseguirla, siempre y cuando seas lo suficientemente perceptivo como para ver que te están ofreciendo ayuda.

Para mí no es ningún misterio el por qué los ricos son cada vez más ricos y los pobres cada vez más pobres. Es, sencillamente, una cuestión de perspectiva. Puedes tener el tipo de perspectiva que desees en la vida, pero esto puede significar tener que decirle adiós a algunos esquemas mentales porque simplemente ya no funcionan.

Al contemplar el superar la bifurcación en tu camino, debes decidir primero lo que quieres hacer. Haz listas. Revísalas hasta que te parezcan bien. Confía en que tu intuición te llevará en la dirección correcta.

Cuando Doug y yo decidimos montar un negocio por nuestra cuenta, nos sentamos e hicimos una lista de las cualidades que queríamos que tuviese nuestro negocio. No sabíamos qué tipo de negocio sería. Sólo sabíamos el tipo de vida que queríamos. Ambos nos habíamos cansado de trabajar para la América corporativa y de que nuestros destinos estuvieran en manos de otras personas. Habíamos decidido, a partir de ese día, que trabajar para nosotros mismos era la única manera en que podíamos obtener la libertad personal que deseábamos tener. Entonces, empezamos a crear una imagen mental de nuestro negocio.

Sabíamos que queríamos trabajar juntos. Queríamos más tiempo libre para disfrutar de lo que sabíamos que algún día se convertiría en una familia en crecimiento (en aquella época nuestros hijos todavía no habían llegado al planeta.) Queríamos un negocio que fuese móvil, lo cual significaba que lo pudiésemos realizar desde cualquier sitio. Queríamos utilizar tecnología informática. Queríamos un negocio que estuviera protegido económicamente y queríamos viajar. Por último, pero ciertamente con no menos importancia, queríamos tener unos buenos ingresos con el fin de poder estar libres de las preocupaciones económicas y de poder disfrutar del estilo de vida de nuestros sueños. Además, yo tenía el objetivo propio de tener un negocio de pedidos por correo, un objetivo que había tenido en mente durante años. Siempre había tenido la visión de que el dinero me llegaba por correo de fuentes desconocidas. Doug decidió que era una visión que valía la pena incorporar, de modo que la añadimos a nuestra lista.

A partir de esta lista de cualidades, nuestro negocio empezó a adquirir forma. Sabíamos que estábamos en la dirección correcta y viviendo nuestro propósito correcto, porque cuando hicimos despegar nuestro negocio, fue todo sobre ruedas.

¿Cuáles han sido los resultados? Juntos hemos creado una compañía que es el primer proveedor nacional de servicios de ventas y de marketing a nuestra industria, el negocio de las hipotecas. Nuestros clientes nunca vienen a nosotros, somos siempre nosotros los que vamos a ellos. Como consecuencia, no estamos atados a vivir en un lugar en particular. Podemos vivir en cualquier sitio. El negocio es móvil. Siempre que esté a horas de distancia en automóvil algún aeropuerto, estamos en el negocio. Para la industria, escribo varios boletines informativos que tienen miles de lectores. Vivimos en el campo junto a un lago, conectados con el mundo vía ordenador, modem o fax. Nuestro negocio está protegido económicamente. Cuando la economía crece, nuestro negocio prospera porque nuestros servicios se ofrecen como una bonificación a los empleados de nuestros clientes. Yo hablo en convenciones anuales y viajamos a hermosos destinos de veraneo de todo el país. Cuando la economía crece, nuestro negocio prospera porque nuestros servicios se ofrecen como una bonificación a los empleados de nuestros clientes. Yo hablo en convenciones anuales y viajamos a hermosos destinos de veraneo de todo el país. Cuando la economía va fatal, nuestro negocio prospera porque los clientes quieren que vaya a verlos para ver qué se puede hacer para elevar la producción otra vez. De cualquiera de las maneras, salimos ganando.

¿Se parece esto muchísimo a la lista de cualidades que hicimos para nuestro negocio hace unos años? Yo, ciertamente, encuentro que sí. De hecho, el negocio se ha manifestado exactamente de acuerdo con los objetivos que nos marcamos.

Cuando decidimos que queríamos tener hijos, nos pusimos como meta que queríamos que las ventas de productos (libros, revistas, programas de audio y video, etc.) superaran lo que yo ganaba con mis apariciones personales cuando Joy entrara al preescolar y, como consecuencia, yo no pudiera viajar tanto. Con una fuerte venta de productos, no tendría que viajar tanto y podría pasar más tiempo con ella y disfrutar de sus actividades escolares. Entonces empecé a hacer marketing directamente por correo.

Recuerdo nuestro primer *mailing*. Lo hicimos todos nosotros mismos. No podíamos pagar la impresión, de modo que hicimos las copias con la fotocopiadora del despacho. Cuando nuestra lista de mailing ya era lo suficientemente extensa como para entrar en la categoría de envío grande (200 piezas), consideramos que lo habíamos hecho muy bien.

Seis meses antes de que Joy empezara el preescolar, las ganancias de la venta de productos superaban las ganancias de mis apariciones personales y continúa siendo así. Ahora tenemos el negocio más grande de venta directa por correo de nuestra especialidad y lo que facturamos en un mes ¡supera de lejos lo que la mayoría de la gente gana en un año entero!

Es sorprendente lo que puede llegar a suceder en tu vida cuando tienes claridad respecto a lo que quieres hacer.

Comparto esta historia contigo no para alardear, sino para ilustrar para ti el poder que tiene el decidir lo que deseas. Estoy segurísima de que *no soy yo* la fuente de esta buena fortuna. Hay una fuerza que está trabajando aquí, que está mucho más allá de mi poder, y quiero que sepas que está disponible también para ti. Cuando estás viviendo tu propósito correcto, todos los recursos del Universo hacen cola para ofrecerte su ayuda. Con ese tipo de apoyo, no puedes perder. No obstante, lo que sí tienes que hacer es ponerte en movimiento. Lo que tú deseas te desea, pero tienes que ir a buscarlo.

Además de decidir lo que quieres hacer, debes trazar un plan para conseguir tus objetivos. No creas, bajo ninguna cir-

cunstancia, que una vez que te has puesto un obj
des cambiarlo. No es así para nada. La vida siem
biando y tú también. Lo que es apropiado para ti
zás no lo sea el año que viene. Debes seguir siend
objetivos son muy poderosos, y tenerlos te permitirá conseguir
grandes cosas para tu vida. Los objetivos también tienen sus
peligros. Recuerda: *tú controlas tus objetivos; no permitas que
ellos te controlen a ti.* Cuando te aferras a metas que ya no funcionan para ti, estás simplemente cambiando una rutina por otra.

Permíteme que te dé un ejemplo de un objetivo con el que
me encontré, que ya no me servía.

Poco después del nacimiento de nuestro hijo Andrew, Doug
y yo decidimos mudarnos de Denver a Carefree, Arizona. Estaba
harta de la nieve y quería ir a un sitio con un clima más cálido.
Nos habíamos cansado de vivir en Denver. La economía de Denver
se encontraba en el punto más bajo de la recesión y estábamos
aburridos de oír a la gente quejarse todo el tiempo. A pesar de
que nuestro negocio no se vio afectado, nos había empezado a
afectar mentalmente la actitud deprimida que prevalecía en el
vecindario. Mi marido, nativo de Colorado, se sentía desanimado por el nivel de contaminación ambiental que había en el en-
cantador lugar donde había nacido. Siempre había amado el desierto, de modo que mudarnos nos pareció una buena cosa. Entonces nos pusimos como meta mudarnos a Carefree, Arizona.

Carefree es una población hermosa, llena de gente famosa,
que se encuentra en el alto desierto de Sonora, a unas 30 millas
al norte del área de Phoenix/Scottsdale. Es el paraíso de los
golfistas y el paisaje, para los amantes del desierto, es grandio-
so. Después de haber hecho un par de viajes para ver nuestra
propiedad, finalmente encontramos nuestra vivienda "perfecta" y nos mudamos.

Pon esto en perspectiva. No sólo nos mudamos, también trasladamos a nuestra hija de tres años, a nuestro hijo de seis semanas, nuestro negocio, nuestro mobiliario de oficina, las existencias y además tuvimos que reubicar a los empleados. No fue un traslado pequeño. Al principio todo pareció ir bien. Pero no tardamos mucho en darnos cuenta que habíamos pasado por alto un importante factor del estilo de vida: ¡el verano! Si nunca has pasado un verano en Arizona, no tienes idea de lo caluroso que es. Habíamos cometido un pequeño error. Solamente habíamos estado en Arizona en invierno. ¡Uy!

La gente te podrá decir: "Es un calor seco", Bueno, también lo es el del horno, pero no se te ocurre meterte a vivir ahí dentro. Ahora sé por qué muchos residentes de Carefree sólo viven ahí entre cuatro y cinco meses al año. Es el clima más duro para vivir todo el año. Mis hijos casi no salían afuera a jugar. Vivíamos verdaderamente en el desierto. Cuando salían afuera, no sólo solía hacer calor (el primer año que estuvimos ahí, Carefree batió el record de más de 100 grados Fahrenheit ese año), sino que parecía que todo los golpeaba, les picaba o les mordía. Me volví una experta en el patrullaje de escorpiones y serpientes de cascabel y había subestimado cuánto echaría de menos la hierba, los árboles y el agua.

Dos años después de habernos mudado ahí, supe en el fondo de mi alma que ese no era el lugar más apropiado para nosotros para vivir. Aparte del clima, mi alma sencillamente no se acostumbraba a vivir ahí. Me faltaba algo, aunque no sabía lo que era y no tenía la cara para decirle a mi marido: "Oye, mira, ya sé que nos hemos gastado una fortuna en mudarnos y que teníamos la intención de vivir aquí hasta que nuestros hijos fueran mayores, ¡pero realmente me gustaría mudarme ahora mismo!". Tenía miedo de que él pensara que me había vuelto loca

Cuando no estás en el lugar correcto, las señales aparecen en tu camino. Si estás despierto a este tipo de orientación, te fijarás en ellas antes de que se produzca el gran desastre. Estas fueron algunas de nuestras señales: más de cien días de un calor de más de 100 grados (la temperatura más alta:123), gastos fijos elevadísimos, construcción de autopistas que hacía que mis traslados al aeropuerto fuesen largos y frustrantes, tres inundaciones sorpresa (nuestra piscina rebalsó e inundó nuestra sala de estar dos veces) y, hacia el final de nuestra estadía, a nuestra casa le cayó un rayo. ¡Oye! Yo no dije que las señales fueran sutiles.

Aparte de estos episodios, nuestro negocio había crecido a grandes pasos y habíamos perdido todo sentido de la libertad personal. Nuestro negocio nos llevaba a nosotros, en lugar de ser nosotros quienes llevábamos el negocio. Nos quedaba muy poco tiempo para pasar juntos como familia. El poco tiempo que teníamos lo pasábamos de mal humor porque estábamos agotados. Nos dedicábamos cada vez menos a los niños. No nos lo estábamos pasando nada bien y, en algún nivel, lo sabíamos, pero nadie lo decía. Yo estaba quemada. Me había matado trabajando durante dos años y ahora estaba exhausta, física y mentalmente. Al mirar atrás ahora, me doy cuenta que estuve al borde de la autodestrucción una vez más. Afortunadamente aprendemos algunas cosas por el camino y "despertamos" con mayor rapidez que años atrás.

Mientras Doug y yo estábamos de viaje, nuestros hijos se quedaron con mis padres en Oklahoma. Doug regresó a Arizona antes que yo, y yo fui a Oklahoma a recogerlos. Al llegar, los vi jugando alegremente afuera, corriendo de aquí para allá, cayéndose sobre la hierba y, en general, disfrutando de todo lo que la naturaleza les podía ofrecer. Estaban muy relajados y felices. Todo el lugar estaba relajado y tranquilo y, de golpe, me di cuenta. Quería volver a mi hogar. Quería regresar a Oklahoma. Esto fue todo un avance para mí porque hacía veinte años había jurado, al marcharme del estado, que jamás volvería a vivir ahí. Me di cuenta aquella hermosa tarde de verano, de que lo que me faltaba eran mis raíces. Me había ido de casa dejando muchas cosas sin terminar. Me había tomado veinte años encontrarme verdaderamente a mi misma, sentirme completa y desarrollar la fuerza para vivir bien frente a las cosas que habían controlado mi vida en el pasado y para saber que ya no podían afectarme.

Cuando regresé de este viaje a mi casa en Arizona, mi marido se encontraba sentado junto a la piscina, y yo ignoraba que había tenido un día particularmente frustrante. Reuní coraje y le dije: "Si no me sacas de este lugar, estaré muerta en cinco años. Quiero mudarme a Oklahoma y quiero que tengamos una vida más tranquila". Esto supuso un gran riesgo para mí, porque yo no sabía cuál sería su respuesta.

Mi marido se giró y dijo: "Si no hubiese vivido ahí te diría que estás loca, pero como ya lo he hecho y sé lo maravillosa que es la gente y lo bien que se vive ahí. Vayamos a echar un vistazo". Pasamos el resto de la noche hablando de todo lo que nos había estado molestando y, una vez más, vimos claramente cómo queríamos que fuese nuestra vida.

Al poco tiempo hicimos un viaje a Oklahoma para buscar una propiedad. Teníamos la intención de comprar un terreno o construir en él cuando "tuviese sentido" para nosotros mudarnos.

El día en que se suponía que íbamos a empezar a buscar un terreno, mi marido cogió *por casualidad* una revista en la cual vimos una casa en venta que estaba junto al agua. Al diablo con todo, le pedimos al corredor que nos la enseñara.

En el instante de entrar en la propiedad, supimos que era nuestra. Nuestra casa está ubicada en la península sobre un lago, hay más de 100 árboles, el agua se puede ver desde tres sitios y la vista desde la parte trasera de la casa cuando el sol se pone reflejándose en el agua recuerda una escena de la película *On Golden Pond*.

Abajo, junto al lago, había una hamaca atada a dos árboles junto a la orilla. Antes de entrar en la casa, me acosté en la hamaca y supe que mi alma había encontrado un lugar de descanso. Después de haber permanecido ahí unos 15 minutos, mi marido me dijo: "Si hay alguna esperanza de llegar a un acuerdo razonable para comprar esta casa, por favor límpiate esa sonrisa de la cara antes de que te vea el corredor".

Compramos la casa en el acto. Nos tomó varios meses poder mudarnos a ella porque teníamos mucho que empacar en Arizona, pero lo que quiero decir es lo siguiente: No te quedes tan encerrado en tus objetivos hasta el punto de que te alejen de algo incluso mejor que el Universo quiera proporcionarte. Hay veces en que el logro de un objetivo no es más que un trampolín hacia algo aún más maravilloso de lo que eras capaz de imaginar. No podíamos haber imaginado que nuestro traslado a Arizona no era más que una parada para prepararnos para nuestra "mejora en el nivel de vida" de Oklahoma, donde seríamos dichosamente felices y bendecidos, pero así fue.

Desde que dimos ese paso, nuestra familia se ha vuelto más unida, somos más felices y el negocio está prosperando. Sólo que esta vez somos nosotros los que lo llevamos y no al revés. Hemos recuperado nuestra vida, pero fue necesario abandonar un objetivo para recibir algo mejor. Una lección que tanto mi marido como yo hemos aprendido de esta experiencia es que a veces la gente se aferra a la consecución de un objetivo cuando éste ya ha dejado de servirle sencillamente porque tienen miedo de que si lo dejan, no vendrá nada mejor. En otras palabras, que la vida te bendice sólo una vez. ¡Qué absurdo! Vivimos en un Universo abundante que quiere bendecirnos una y otra vez, de manera que no tengas miedo de avanzar. No fuiste creado para vivir en una caja con una etiqueta que diga "Este es mi objetivo. Lo he conseguido y ahora no queda nada para mí".

Tú eres el dueño de tus objetivos, no permitas que ellos sean dueños de ti. Al lograr un objetivo, la vida tiende a presentarte otros. Vigila y permanece abierto. Tu vida fue creada para estar plena de salud, riqueza, amor y alegría. Si te falta alguna de estas cosas, empieza a abrirte para recibir el regalo de la vida y llenar ese vacío.

Por último, para pasar la bifurcación de tu camino y seguir adelante, establece un buen sistema de apoyo. Rodéate de personas que te reten a ser lo mejor que puedes ser. Esas personas no envidiarán tu éxito. ¡Te ayudarían a celebrarlo!

Capítulo v

UTILIZANDO LA CULPA COMO GUÍA
Díle adiós a los viejos hábitos e influencias

Lo que tú eres habla con tanta fuerza,
que no puedo oír lo que dices.
—RALPH WALDO EMERSON

Una de las cosas contra las que el hombre
tiene que aprender a luchar
más amargamente
es la influencia de aquellos que lo aman.
—SHERWOOD ANDERSON

Así como la ostra soporta las molestias y la irritación para producir una hermosa perla, se nos puede pedir que sintamos una cierta tristeza antes de nuestra alegría. En los capítulos anteriores hemos estado hablando de montar un escenario para nuestro crecimiento personal. Este tipo de experiencia de crecimiento probablemente hará que nos despojemos de algunos viejos tejidos que nos atan al pasado. No obstante, como sucede con cualquier cadena que nos ata, el prisionero irá muy lejos para romper el lazo y disfrutar de los dones de la libertad.

Con frecuencia estamos muy envueltos por el velo que nos cubre, al cual llamamos nuestro pasado. Bueno o malo, la naturaleza humana parece querer preservar nuestro pasado a pesar de que nos impide avanzar. ¿Autodestructivos por naturaleza? No, no lo creo. Creo que, sencillamente, nos proporciona una sensación de familiaridad; un lugar en el cual nos sentimos seguros. Sabemos que hemos sobrevivido a nuestro pasado. Aunque hayamos tenido que vivir tiempos difíciles, fuimos capaces de salir adelante. Ahora sabemos que podemos estar a la altura de ese nivel de exigencia, Nos sentimos seguros al saber esto y confortados al mantener el *statu quo*. Mantenerse libremente conectado al pasado es, para mucha gente, mejor que la alternativa del crecimiento. Al menos no sienten que haya ningún riesgo al hacerlo. El riesgo es, para ellos, equivalente a poner en peligro su seguridad. Esto evoca la sensación de miedo, y el miedo puede resultar paralizante. He aquí otra descripción de la rutina: fijación en el pasado.

Para salir de tu cascarón y realizar todo tu potencial, debes estar dispuesto a echarle una buena mirada a tu pasado. Debes estar dispuesto a repasar los acontecimientos de tu vida, aprender lo que puedas y deshacerte de lo demás. Debes reconocer que eres una acumulación de todos los acontecimientos y relaciones de tu vida. Reconocer estas experiencias es importante para llegar a tu forma actual. Igualmente importante, sin embargo, es decidir impedir que los fantasmas de tu pasado dictaminen o dañen tu futuro. Ser capaz de hacerlo implica observar estas influencias y las porciones de tu vida que se han visto afectadas.

> *El hábito y la rutina*
> *tienen un increíble poder*
> *para desgastar y destruir.*
> —HENRI DE LUBAC

Si vamos a realizar un cambio, debemos empezar por nosotros mismos. Hasta que no le hayas dicho adiós a tu viejo tú, no podrás deshacerte de la dolorosa influencia de otras personas de tu pasado. Yo permití que una gran parte de mi vida estuviese gobernada por la culpa. Por ende, había tres tipos de comportamiento autodestructivo a los que yo debía decir adiós, para poder continuar con mi vida. Estas influencias eran:

1. La culpa personal, auto infligida.
2. La culpa de "Dios te va a castigar".
3. La culpa de amigos y parientes.

Empecemos por mirar nuestras actitudes hacia nosotros mismos y cómo percibimos el mundo que nos rodea.

Se ha dicho que somos el resultado directo de lo que nos han dicho y enseñado y que hemos sido vendidos y comprados. ¡Cuánta verdad hay en esto! Cada vez que aceptamos un concepto, ya sea bueno o malo, estamos poniendo otro ladrillo en el muro al cual llamamos nuestro sistema de creencias. No todo es malo en este sistema de creencias ni necesita ser descartado. ¡Claro que no! En realidad, la mayor parte es buena y nos ha proporcionado a ti y a mí la fuerza y la resistencia necesarias para ser quienes somos en la actualidad. No obstante, algunos de los ladrillos de nuestro sistema de creencias deben ser reemplazados, definitivamente. De hecho, cuando nos acordamos de ciertas cosas que solíamos creer, es casi cómico. Y, quién sabe, quizás sea mejor reírnos de ellas que enfadarnos. Al menos que te dé un ejemplo personal.

Yo solía tener un ciclo recurrente en mi vida, que se manifestaba repetidamente, hasta que finalmente me di cuenta de que yo era la única constante en aquella situación y que, por ende, yo debía ser la causa.

El cielo al cual me estoy refiriendo tenía que ver con dos "ladrillos" de mi sistema de creencias. Uno tenía que ver con el concepto que yo tenía de lo significaba ser una mujer de éxito. El otro tenía que ver con un complejo de rechazo al dinero, y sin embargo los dos estaban entrelazados en el mismo ciclo repetitivo de comportamiento.

He aquí lo que ocurría. Yo luchaba y luchaba por tener éxito y, cuando lo conseguía, hacía todo lo que estaba en mi poder para minar mis logros y tener que empezar todo de nuevo. Cuando esto empezó a sucederme por tercera vez, por la razón que fuere, se me ocurrió que este ciclo repetitivo tenía algo que ver con mi sistema de creencias y que si quería romper este ciclo tenía que averiguar cuál era el problema y resolverlo.

Oklahoma y Texas, dos estados en los cuales he vivido tantos años de mi vida, están plagados de actitudes sureñas. De pequeña, había aprendido que sólo existen algunas ocupaciones "aceptables" para una mujer. La enseñanza, la enfermería y el secretariado eran algunas de ellas. Recuerdo que alguien me animó a tomar clases de mecanografía, para que en el caso de que ("Que Dios no lo quiera") algo le pasase a mi marido y me quedara sola para criar a mis hijos, tuviese una posibilidad para salir adelante. No puedo, por más que lo intente, recordar quién me lo dijo, pero se me quedó grabado.

Dudo que se supusiera que yo extrajera el mensaje que extraje de estas actitudes, pero he aquí mi forma de interpretar estas costumbres sociales: Me decía a mi misma que estaba bien que una mujer emprendiese negocios, pero no que tuviese demasiado éxito. En otras palabras, una mujer podía tener un negocio para sobrevivir, pero no para realizarse. De modo que, cuando mi negocio tenía "demasiado" éxito lo echaba abajo y volvía a la etapa de lucha. Me había creído el concepto de que el papel de una mujer en los negocios tenía que ver con sobrevivir, no con ganar, porque todo el mundo sabe que si una mujer entra en negocios y tiene demasiado éxito, se convertirá en una desvergonzada y descarada, no será atractiva ¡y tendrá dificultades para encontrar a un hombre!

En los ambientes rurales como el de mi infancia, encontrar a un hombre no es sólo un pensamiento pasajero, es una importante ocupación en la vida. En el lugar de donde provengo, si encuentras a alguien que no sea tu pariente, ¡te casas con él! Esto suena exagerado y tonto, ya lo sé, pero muchos de los sistemas de creencias que nos retienen no tienen su raíz en la realidad sino en la distorsión. A veces, recordar aquello en lo que solíamos creer nos hace reír. Pero no nos da ninguna risa cuando estamos luchando con ello, ¿verdad?

El segundo ladrillo que me causaba problemas era el complejo de rechazo al dinero. Como resultado de mi educación religiosa, me había metido en la cabeza que, de algún modo, el dinero era malo. Me habían educado con frases como "Es más fácil que un camello pase por el ojo de una aguja, que un hombre rico entre en el cielo" y "El dinero es la raíz de todo mal", etc. Había aprendido que desear tener mucho dinero no era bueno. En consecuencia, cuando mis esfuerzos producían más dinero del que mi nivel de "merecimiento" me permitía disfrutar, volvía a bajar hasta el nivel en el que me sentía cómoda. Me tomó años superar el complejo de rechazo al dinero y encontrarme cómoda con él.

Todos tenemos partes de nuestro sistema de creencias que pueden causarnos problemas si no las revaluamos periódicamente en nuestra vida adulta. Para poder crecer en tu vida, necesitas mirar lo que te ha estado reteniendo y disminuir su influencia en tu vida.

Otro gran triunfo para mí fue reconciliarme con quién yo pensaba que se suponía que debía ser y luego ponerlo en perspectiva. Al dejar reposar la idea de quien yo creía que tenía que ser y, en lugar de eso, averiguar *quién* quería yo ser, me di cuenta que la mayoría de estos supuestos no eran más que viejos hábitos que no me estaban haciendo ningún favor. Saber esto me dio el coraje para avanzar al darme cuenta de que si tenía el poder para cultivar esos hábitos, ciertamente tendría el poder de cambiarlos. Me resulta sorprendente que cuando nos hartamos de repetir los mismos ciclos una y otra vez, con frecuencia somos capaces de cambiar nuestros hábitos con rapidez. Creo que cuando nuestra motivación es lo suficientemente fuerte podemos lograr virtualmente cualquier cosa.

> *Es más fácil abandonar los malos hábitos*
> *hoy que mañana.*
> —Proverbio Yiddish

De niña me habían educado para aceptar cánones que constituían la forma de comportamiento de una "buena" persona. Sin embargo, como adolescente, empecé a pensar por mí misma y dejé de considerar que esos cánones eran apropiados para mí. Siempre los he encontrado poco realistas y sofocantes.

Las tradiciones tuvieron un papel predominante en mi vida, como le sucede a mucha gente. Podemos moldearnos a lo que nuestros padres y nuestra familia nos dicen que "deberíamos" ser o podemos irnos al otro extremo. El otro extremo del espectro nos contiene a muchos de nosotros que hemos tenido la necesidad de rebelarnos por completo ante todo lo que nos han enseñado. Ambos extremos son dolorosos porque suprimen a tu yo real. En algún lugar del medio, entre la conformidad absoluta y la rebelión masiva, yace tu estado natural. Encontrar este equilibrio crea la diferencia entre una vida tranquila y dichosa y la neurosis total.

El extremo del espectro en el que te hayas colocado no importa realmente. Lo que importa es saber que has escogido estar ahí donde hoy te encuentras.

Esta afirmación no le sentará bien a mucha gente, pero eso no tiene importancia. Es mucho más fácil para nosotros decir que otros nos han hecho ser como somos o que las circunstancias nos han dado forma. Esto. Sencillamente, no es verdad. Para poder crecer más allá de donde hoy te encuentras, debes estar dispuesto a ser responsable de ti mismo. Debes reconocer que el juego de echar culpas se ha terminado. Esto puede no ser fácil. Es menos arriesgado ser la víctima o el mártir de las circunstancias. Después de todo, ¿quién puede echarte la culpa o hacerte responsable de cosas cuando tú eres tan importante? ¿Cierto? ¡Falso!

Deshazte de la costumbre de entregarle a los demás el poder sobre tu vida. No eres Pinocho. Las únicas cuerdas atadas a ti están ahí por tu propio designio. Si tienes a algún titiritero controlando tu vida, es porque sentiste la necesidad de contratarlo. Es mucho más fácil abandonar esos hábitos ahora, que dentro de diez años. Verás, cuanto más tiempo sobrevive un hábito, más fuerte se torna y tú pierdes más poder.

> *Sólo la palabra reprimida*
> *es peligrosa.*
> —Ludwig Borne

Mi estricta educación bautista sureña produjo resentimiento en mi vida. No es mi intención enviar llamaradas de rabia a las personas que adhieren a dicha filosofía religiosa. Estas teologías y creencias funcionan para mucha gente, y yo lo respeto. No eran adecuadas para mí. El rechazo de este modo de vida inició una serie de hábitos de auto-derrota en mí que me tomó muchos años cambiar, con muchas lecciones que aprender a lo largo del camino. Rechazar aquel pasado religioso significaba, en muchos aspectos, que le estaba dando la espalda a la tradición familiar y eso no me resultó fácil de hacer. El modo de vida de la mayor parte de mi familia estaba dictado por generaciones de un tipo de comportamiento. Las cosas eran como eran simplemente porque así habían sido siempre. A pesar de ser hija única, tengo una familia muy grande, como sucede con muchas familias en las comunidades rurales. Son mayormente, personas estupendas y muy cariñosas. Al mirar atrás ahora y contemplar nuestras vidas, sin embargo, es fácil ver el dolor innecesario que nos infligíamos a nosotros mismos y unos a otros al adherirnos a la tradición y a la moral santurrona, estableciendo estándares inalcanzables y viviendo en la hipocresía.

He aprendido a asumir la responsabilidad por mi actitud personal. Esta lección me ha resultado muy difícil porque he tenido que dejar salir mucha rabia y resentimiento.

En ocasiones me sorprende ver lo poco dispuestos que estamos a dejar ir la rabia porque parece como si hubiésemos desarrollado un extraño afecto hacia ella. Nos proporciona consuelo y una base lógica para nuestro comportamiento poco amoroso. El enojo suele impedir que compartamos nuestro amor con aquellos que nos son tan queridos.

Es vital para nuestro crecimiento darnos cuenta de que nadie nos *obliga* a ser, hacer o comportarnos de una cierta manera. *Nosotros* elegimos cómo responder a las situaciones. Este ha sido el caso y lo sigue siendo. Este es un concepto difícil de comprender para mucha gente. Preferimos creer que somos criaturas de nuestro entorno. Tendemos a aceptar que generalmente estamos *reaccionando* ante los demás, y no *actuando* independientemente por nuestra cuenta. ¿Cuántas veces te has oído a ti mismo o a los demás decir: "No puedo evitarlo" o "No puedo hacer nada para impedirlo" o "Así son las cosas"?,etc. Esto es un hábito auto-derrotista. Cuando más te lo creas, menos disfrutarás de la vida porque siempre pensarás que las cosas están fuera de tu control.

A veces nos resulta difícil ver lo que nos estamos haciendo a nosotros mismos. Los hábitos auto-derrotistas florecen cuando en el ambiente hay una falta de conciencia. Van tomando el poder lentamente; muchas veces no nos percatamos de ello. Puedes sucumbir a tus hábitos auto-derrotistas o tu yo interior se pondrá de pie algún día, destruirá el poder de estos hábitos y realizará cambios drásticos en tu vida.

En mis años formativos, no fui consciente de los patrones de hábito que se estaban estableciendo en mi mente, y que más tarde me causarían dolor como adulto. Al principio de este capítulo dije: "Si vamos a realizar un cambio, debemos empezar por nosotros mismos...". De modo que, empezar por mí misma fue lo que hice.

Mi infancia tuvo una gran cantidad de confusión y la unión familiar se rompió en repetidas ocasiones. Cuando yo tenía nueve años, mis padres se divorciaron. Probablemente debieron haber tomado esa medida muchos años antes, porque ninguno de los dos era feliz. Mis padres habían empezado a ser novios cuando estaban en la escuela primaria. Se casaron poco después de acabar la secundaria y ninguno de los dos había tenido la oportunidad de definir quién era, de una forma individual. En consecuencia, al entrar en sus *roles* como adultos, se fueron separando más que acercando. Sencillamente se casaron siendo demasiado jóvenes y aún no tenían la suficiente experiencia de vida.

Aunque debieron haberse divorciado mucho tiempo antes, las tradiciones y la moral de la época eran de la cosecha de "Hasta que la muerte nos separe". Como resultado de esto, crearon el infierno en la Tierra el uno para el otro. Su divorcio fue terrible para mí.

Cuando mi padre se marchó de casa, la disciplina y las exigencias que mi madre me imponía parecieron intensificarse.

Mi madre sentía que había sido el felpudo de mi padre y estaba empeñada y decidida en que yo no sería así. Su divorcio también introdujo una serie de temas morales y se daba por hecho que, en nuestra casa, transitaríamos "por el buen camino". Empecé a sentir una enorme tensión. Añadido a esto estaba mi creciente sensación de ser responsable de la felicidad o la falta de felicidad de mi madre. Comencé a construirme una trampa en la cual yo misma quedé atrapada. Por un lado quería rebelarme, por otro lado quería complacer. Es difícil tener un pie en cada lado, y es una tremenda carga intentar asumir la responsabilidad de ser la fuente de felicidad de otra persona.

Durante muchos años, sufrí de lo que yo llamo el síndrome del niño perfecto. He descubierto que mucha gente ha creado algo similar en su vida. Según Elizabeth Kubler-Ross, reconocida internacionalmente por su trabajo con los enfermos terminales, nosotros los occidentales hemos criado muchas generaciones de niños que creen en la teoría del "Te quiero...si". Esta teoría es algo así: "Te quiero si eres: silencioso, atractivo, atlético, bien educado, si sacas buenas notas, haces lo que yo te digo, etc" Ella afirma que criamos a nuestros hijos creyendo que deben ser super humanos para merecer nuestra aprobación y, por ende, nuestro amor.

Este fue el mensaje que yo me creí de todo corazón. El síndrome del niño perfecto era algo que yo creé para mí misma para poder soportar las situaciones desagradables. Fue eficaz para manejar esas situaciones penosas. El problema fue que, en los años posteriores, se me fue de las manos. No sabía cómo salir de este síndrome que yo misma había creado.

El estrés, la rabia, la amargura y la tensión son conflictos con los cuales nunca he sabido lidiar bien. La mejor manera para mí de enfrentarme a estos sentimientos era evadiéndolos.

En consecuencia, a una edad muy temprana me nombré a mí misma bufón de la corte. Sentía que era mi responsabilidad mantener a todo el mundo sonriente y feliz. Poco sabía yo que estaba creando una gran presión para mí y que había asumido una enorme carga de responsabilidad. Verás, a todos nos gusta que nos aligeren nuestra carga. Si tú te ofreces a hacerlo para la gente, ellos te dejan. Entonces, antes de que te des cuenta, empiezan a esperar eso de ti.

Los mártires expresan la ira amorosamente
—Lee Gibson

Todo este proceso empezó cuando yo era muy pequeña, cuando de alguna manera decidí que mis padres no se llevaban bien por mi culpa. A pesar de que me aseguraban lo contrario, esto era lo que yo creía. Descubrí con rapidez que podía poner fin a una discusión siendo graciosa o representando a personajes disparatados. ¡Aprendí a ser una vendedora experta! Me resultaba fácil convencer a los demás de que cambiaran el conflicto por una sonrisa, incluso cuando sólo duraba un rato. En mis años adolescentes, cuando casi todo lo que yo hacía y quería se topaba con la desaprobación, aprendí a obtener aprobación sacando buenas notas, ganando premios y, básicamente, siendo la "Niña Perfecta". Lo trágico de esta situación era que al llegar a un punto (no estoy segura de exactamente cuándo), empecé a creer que *toda* esa actuación sobresaliente era necesaria. Realmente creía que si no conseguía todos esos superlogros, perdía de alguna manera mi valor y que aquellas personas a las que yo amaba se sentirían desilusionadas. Qué distorsión.

En consecuencia, empecé a castigarme cuando no estaba a la altura de mis expectativas. Me sentía culpable si no conseguía unas calificaciones excelentes, si no ganaba el primer premio en todo lo que hacía y si no era siempre dulce. Esto también lo arrastré hasta mi vida adulta. Me aseguraba de amoldarme a lo que yo pensaba que era una forma aceptable para las personas a las que amaba, incluso cuando esto significaba hacerme infeliz. Me aseguraba que, para el mundo exterior, todo pareciese estar estupendamente. Yo era el típico ejemplo de la muñeca china, que tiene muy buen aspecto por fuera, pero por dentro está vacía.

La presión a la que uno se somete cuando se comporta de este modo es intensa. Me sentía responsable de la felicidad de todo el mundo a quien yo quería. Lo que en realidad me estaba sucediendo, era que yo estaba viviendo mi vida para todo el mundo menos para *mí*. La primera vez que alguien me llamó la atención respecto a este juego fue cuando me encontraba en mi último año de la escuela secundaria. Por supuesto que me quedé pasmada. Yo estaba segura que tenía mi imagen bajo control. Aquel año fui codirectora del libro anual, capitana del grupo de animadoras, miembro de la Sociedad de Honor, representante del *Girls State*, ganadora del Premio a la Excelencia de la Asociación de Piano, vicepresidente de la clase y tenía varios cargos en el club. No obstante, para mi sorpresa, una profesora que me conocía muy bien escribió en mi libro anual: "A Debra, el payaso que siempre hace reír a los demás, pero que siempre está llorando por dentro". Por *primera* vez, me di cuenta que otra persona era conciente que yo no sabía cómo salir de la trampa que me había creado, y lo infeliz que era.

Este fue el momento decisivo para mí. Decidí liberarme de toda la culpa y la presión que me había impuesto. La telaraña no se deshizo de la noche a la mañana. Me tomó cinco años alcanzar el lugar en el cual estaba completamente libre de la obligación de ser responsable por los demás. Una de las razones por las cuales no me resultó fácil, fue porque cuando te permites estar conectada a la felicidad de los demás, también te expones a su culpa. Ellos ejercen la influencia de la culpa sobre ti para hacer que continúes comportándote de una forma que les agrada. La clave está en que el hecho de que tú estés dispuesto a abandonar no significa que ellos estén preparados para ello. Yo había llegado a la conclusión de que si mi incapacidad de ser "perfecta" les afectaba, era su problema. Yo creía que era hora de que ellos creciesen y también se volvieran autosuficientes. Creía que ya era hora de que crearan su propia felicidad en lugar de depender de mí.

Cuando nos damos cuenta que la gente debe tomar las riendas de su propia vida y que nadie más puede hacerlo por ellos, podemos volver a canalizar la energía hacia algo más positivo. Los tropiezos de la culpa personal, auto-infligida, han sido unas buenas señales para mí. Ahora, cuando me doy cuenta que me estoy castigando, mi nuevo nivel de conciencia se pone en marcha automáticamente. Me proporciona la oportunidad de contemplar la situación objetivamente, sopesar las consecuencias de mi maltrato personal y luego continuar con mi camino. Generalmente, suelo descubrir que las cosas por las que me estoy castigando son insignificantes. Son sólo mis viejos hábitos que aparecen para intentar convencerme de que no puedo lograr mi objetivo. Para hacer que la influencia de estos patrones disminuya o desaparezca, alejo mi mente de los problemas y la centro en las soluciones. Esto hace que me sienta menos indigna y más poderosa.

Me doy cuenta de que gran parte de lo que mi madre y yo tuvimos que pasar fueron guerras de independencia. Recuerdo que mi madre me decía, una y otra vez: "Tú no vas a ser como yo fui. Tú vas a ser lista y vas a ser independiente y vas a poder cuidar de ti misma". También recuerdo que en los primeros años de mi adolescencia mi madre me dijo: "Creo que hemos llevado este asunto de la independencia un poco lejos". Llegado ese punto, ya era demasiado tarde. Mi voluntad de hierro ya estaba muy bien desarrollada.

Después del divorcio de mis padres, me parecía que mi madre sentía que tenía alguna deuda que pagar o que había algo fuera de equilibrio que debía ser enmendado, y que ella me iba a forzar a ser "buena".

Mi madre se aseguraba que estuviésemos en la iglesia todo el tiempo, haciendo lo que había que hacer para ser personas "buenas". Los "deberías", "es tu deber" y "tienes que" formaban una gran parte del vocabulario que yo oía. La manipulación a través de la culpa era una herramienta poderosa. Detestaba que se me impusiera una filosofía con la cual yo no estaba de acuerdo y, al mismo tiempo, me sentía culpable por sentir esto.

El mensaje que yo interpretaba del púlpito era que la mayoría de las cosas que me interesaban, que disfrutaba y con las que soñaba, iban a enviarme directamente al infierno. Ahí ardería durante toda la eternidad para pagar por mis pecados.

El diablo me hizo hacerlo.
—Flip Wilson

Me asombra ver cuántas vidas están plagadas de culpa por las filosofías religiosas que los adultos fueron forzados a creer siendo niños. Muchas personas se paralizan porque sienten que cualquier cosa que hagan hará que pierdan la aprobación de Dios. Esto es particularmente cierto para las personas que siguen a las religiones fundamentalistas. En mi opinión, estas religiones bordean la superstición porque sólo mantienen su influencia cuando tienen a la gente en un estado de sumisión y miedo a la "cólera de Dios".

El juicio santurrón de nuestros iguales hace que muchas personas no puedan decidir por sí solas si su religión es la adecuada para ellas. En lugar de eso, se limitan a aceptar que así son las cosas, y si no pueden estar a la altura de las expectativas o si cuestionan las doctrinas religiosas, se merecen ser "expulsados". En algunas filosofías, tener una mente propia y cuestionar la doctrina es blasfemia.

Yo he cuestionado cosas durante toda mi vida y esto no le agrada a mucha gente. Es mucho más fácil controlar a alguien que acepta las cosas tal como son en lugar de cuestionarlas.

La espiritualidad siempre ha sido el tema central del hombre civilizado. Que tengas o no una creencia religiosa u otra es irrelevante. La cuestión es, ¿te sientes cómodo con tus creencias como *adulto*?

Te debes a ti mismo el determinar lo que el orden del Universo significa para ti, sin apoyarte en las decisiones que hiciste de niño. Lo más probable es que esas decisiones estuviesen influidas por figuras de autoridad. Pero al estar bien informado y estudiar las filosofías y religiones del mundo, puedes decidir lo que es mejor para ti. Desde que era pequeña he sabido que mi vida tendría un impacto sobre cientos de miles de personas, que tendría una buena posición económica y que lograría un cierto grado de fama. Cuando las personas saben esto acerca de sí mismas, tienden a ser un poquito diferentes. He descubierto que los niños que tienen este tipo de empuje tienden a soñar mucho, tienden a relacionarse más con gente mayor que ellos y son perfeccionistas. Si juntas todo esto, obtendrás una persona que se siente un poco distinta a todas los demás.

El talento musical fue siempre un palo largo para mí. Yo siempre era la primera persona a la que le pedían que cantara o tocara para las distintas funciones de mi barrio. Con este talento vino un intenso deseo de entrar en el mundo del espectáculo. Entonces entré en territorio prohibido. Los Bautistas no creen en beber ni en bailar. ¡Me encontraba en problemas! Mi sueño era convertirme en una famosa cantante con un grupo. No hay muchos grupos que toquen en lugares en los que beber y bailar esté prohibido, a menos que sean grupos religiosos. Ser una cantante de música religiosa no me inspiraba en lo más mínimo. En consecuencia, reprimí mi sueño y mi resentimiento aumentó.

Mi vida parecía estar terriblemente desequilibrada. Estaba llena de "no puedes" y "nos". Según recuerdo mis años de adolescente, todavía puedo oír ciertas frases con claridad. "No, no puedes ir a bailar", "No, no puedes ir a esa fiesta; sus padres beben", "No, no te puedes quedar más tarde que las diez", "No, no puedes tener un bikini, son vulgares", "No me contestes", "Porque lo digo yo, por eso ", "No puedes salir, estás castigada. Y así seguía hasta el infinito. Sentía que me asfixiaba. Esta visión puritana me alejaba de mis compañeros. Me sentía rara y avergonzada, de manera que lo compensaba con mis logros.

A pesar de que sentía una gran rebelión en mi interior, me encontraba obedeciendo todas las reglas para aliviar las consecuencias, pero lo odiaba todo el tiempo. Esta sumisión, sin embargo, continuó y el resentimiento creció. Como consecuencia, la noche que me gradué de la escuela secundaria me mudé. Después de graduarme de la Universidad, abandoné mi Estado natal, jurando no regresar nunca más y, durante los siguientes 20 años, viví en varias ciudades del país. Por muy desafortunado que parezca, a veces la distancia es necesaria para romper las cadenas de la influencia y averiguar quiénes somos en realidad.

*La gente que vuela hacia la rabia siempre
tiene un mal aterrizaje.*
—Will Rogers

La noche en que me gradué de la escuela secundaria y me mudé de casa, obtuve algo que buscaba desesperadamente: libertad. Algo que había anhelado durante años era finalmente mío. Al fin tenía la oportunidad de expresar quién era *realmente*, en lugar de intentar encajar en la idea de otra persona de lo que yo *debería ser*. Durante muchos años había estado llevando a cabo una silenciosa rebelión en mi interior y el resentimiento había acumulado una enorme fuerza. Por ende, cuando experimenté esta nueva libertad, devoré la vida a una velocidad increíble. Tenía un apetito voraz por vivir y experimentar lo que el mundo tenía para ofrecer. El péndulo se había desplazado al otro extremo y la vida volvía a estar fuera de equilibrio. El hábito de vivir la vida de una forma fuera de equilibrio seguía ahí, tal como había estado cuando vivía bajo el gobierno de mi madre. Lo único que había cambiado era la dirección.

Diez años fueron y volvieron, mientras yo vivía fuera de equilibrio, hasta que se me ocurrió que todavía no estaba viviendo la vida en *mis* propios términos. Todavía no trabajaba. Al mirar las razones, se me hizo evidente que había desarrollado un fuerte hábito de racionalizar mi comportamiento presente basándome en el resentimiento que sentía por la privación de años anteriores.

Cuando sentía que no estaba a la altura, lo achacaba a no haberme tenido suficiente atención. Siempre que cometía demasiados excesos, mi racionalización era que estaba compensando para llenar mi vacío, basándome en haber sido privada de esas actividades en años anteriores. Me prometía a mí misma que me portaría mejor la próxima vez y que no llegaría a esos extremos. La costumbre de responsabilizar a alguien o a algo por mi comportamiento, en lugar de culparme a mí misma estaba bien asentada. Yo estaba asumiendo verdadera responsabilidad por muy pocas cosas en mi vida. La consecuencia de esto era que no controlaba mi vida. Estaba fuera de control como una bala perdida y no me estaba moviendo en la dirección que quería. Las cosas parecían estar viniéndose abajo. Me preguntaba por qué.

Es importante anotar que todo esto era una lucha interna. Las apariencias externas mostraban a una mujer de negocios de éxito, bien establecida, felizmente casada, bien adaptada y llena de ganas de vivir. ¡Vaya fachada! La terrible revelación que estaba a punto de llegar era que mis problemas vitales no podían ser achacados a mi madre, mi padre ni a nadie más, únicamente a mí.

Por primera vez en mi vida me di cuenta que era hora de enfrentarme a los asuntos de mi pasado y luego decirle adiós a mi antiguo yo. Era hora de vivir mi vida como un adulto independiente, libre de culpa y de resentimiento. Finalmente estaba *preparada* para saber quién era. La razón por la que digo que estaba "preparada" es porque hay que hartarse de la manera en que están las cosas para poder hacer un cambio, y hay que tener valor para aceptar el hecho de que eres la única que tiene control sobre tu vida. No hay nadie más a quien culpar. Cualquier experiencia desagradable que hayas podido tener en tu vida es irrelevante. Lo que importa es cómo permitiste que te afecte. Shirley MacLaine lo expresó muy bien cuando dijo: "Debes estar en una situación difícil para poder coger la fruta".

Algunos de ustedes estarán pensando que es absurdo volver a pasar por los años formativos y sacar todos los fantasmas del armario. A todos los que sean de esta opinión, todo lo que les puedo decir es que nunca serán libres ni tendrán control sobre sus vidas hasta que lo hayan hecho. Trabajo con cientos de personas todos los años, personas adultas que *nunca* han crecido. Una sola llamada telefónica por parte de un miembro de su familia con alguna pequeña insinuación de culpa puede hacer que estas supuestas personas adultas empiecen a correr de aquí para allá como gallinas asustadas en un esfuerzo por "complacer". Para algunas personas, la manipulación a través de la culpa es poderosa. Coge las riendas de tu vida y haz lo que quieras hacer porque lo quieres hacer, no porque quieres tranquilizar a alguien. Crearás un ciclo de realizar actos para complacer a la gente que sólo crea en tí, resentimiento, odio y autorepresión; todos patrones debilitantes.

Más importante aún, te impedirán amar verdaderamente a aquellas personas a las que estás intentando complacer desesperadamente. La culpa y el amor no pueden existir en el mismo marco. Quizás la culpa y la obligación sí, pero la culpa y el amor no. No te defraudes a ti mismo. Al amar abiertamente a los seres queridos de tu vida sin culpa, experimentarás uno de los aspectos más enriquecedores de tu vida. Quizás sea una de las pocas veces que los quieras por ser quiénes son, no por las exigencias que ponen en ti. Ahora siento un amor por mi madre que habría sido incapaz de sentir antes. Es una mujer extraordinaria a la que quiero y respeto. Me tomó mucho tiempo darme cuenta de que ella sólo estaba haciendo lo mejor que podía conmigo, y dejarlo ir. Ahora me tocaba a mí hacer lo mejor que pudiese. *Tú* debes liberarte a ti mismo; nadie lo puede hacer en tu lugar.

La última de las libertades personales
de las que nadie te puede privar
es la de elegir.
—Dr. Victor Frankl

Podemos elegir nuestras actitudes personales. Depende de nosotros la forma en que recibimos cada día y es importante compartir nuestra vida con personas que nos eleven y no que nos echen abajo. Yo llamo a estas personas que te echan abajo amigos que no te puedes permitir. ¿Has notado que hay personas en el mundo que no se sienten vivas a menos que hayan creado media docena de traumas antes de las diez de la mañana? Estas personas no están buscando respuestas. Son personas que se lamentan, protestan y se quejan constantemente y te succionarán la vida si no tienes cuidado.

Si quieres limitar la influencia de este tipo de personas en tu vida, quizás te interese conocer una filosofía que yo adopté hace algunos años.

Tomé la decisión de erradicar la negatividad de mi vida. Con el pasar de los años, he recibido muchas críticas de la gente por haber adoptado este punto de vista. La gente me ha dicho cosas como: "Oh, Debra, eres una Pollyanna; crees que sólo con tener pensamientos felices, te sucederán cosas felices. ¡Sé realista! Tu no trabajas con la gente con la que yo trabajo"; "Crees eso porque esperas que todo el mundo coopere y crea que eso es lo que va a tener lugar. ¡Contrólate!"; "Crees que por el simple hecho de que tú has decidido que todos nos subiremos al Tren del Éxito todos vamos a hacer cola para coger sitio y que iremos todos haciendo "chu-chu" alegremente por el camino".

¿Creo realmente todo esto? No, por supuesto que no. ¿Significa tu decisión de erradicar la negatividad de tu vida que todos los dominantes, los que se quejan y los quejumbrosos que hay en tu vida van a hacer "puf" y desaparecer de repente? No, en absoluto. De hecho, puedes contar con que aparecerán cada día. Es difícil deshacerse de estas personas porque su misión es esparcir la desgracia y no quieren dejarte fuera.

Entonces, si las personas negativas siguen en tu vida, ¿cómo diablos vas a erradicar la negatividad de tu existencia? ¿Qué significa erradicar la negatividad? Significa que no participas más en esta perpetuación.

Con este pensamiento en mente, la próxima vez que veas a un quejumbroso crónico viniendo hacia ti, quiero que imagines una gran luz de neón verde en su frente que diga *succionador de energía, succionador de energía.* Cuando empiecen a cantar la canción de "¿No es Horrible?", de la cual conocen las 112.000 estrofas, te disculpas amablemente y sigues tu camino. Recuerda: estas personas no buscan respuestas. ¿Qué es lo que buscan? Un público. Cuando el público empiece a desaparecer, llegará un punto en que ya no será divertido estar con ellos y, o bien se corregirán, o bien considerarán que tú ya no eres divertido y se irán con sus quejas a otra parte. En cualquiera de los casos, tu entorno cotidiano mejorará dramáticamente porque ya no tendrás que ser testigo cuando arrojen su veneno.

Entonces, la próxima vez que alguien te haga enfadar o intente hacerte sentir culpable, recuerda que tienes opciones. Puedes permitir que esa persona te estropee el día y te haga sentir mal, o puedes escoger excusarte y no enfrentarte a ella. Cuando las personas pierden la habilidad de succionarte hacia su trauma, te conviertes en un individuo muy poderoso. Estás controlando tu vida en lugar de ser controlado y considerado como una víctima por los demás.

> *Hay algunas cosas, por supuesto, que no*
> *puedes cambiar. Pretender lo contrario*
> *es como pintarle rayas a un caballo y*
> *gritar: "¡Cebra!"*
> —EDDIE CANTOR

Adquirir el control de tus propias actitudes producirá cambios en tus relaciones. Hay personas en tu vida que no siempre se sienten cómodas contigo. Empezarás a saber por qué. Cuando escuches a un amigo o pariente quejarse, te darás cuenta de que no te sientes mejor habiendo pasado un rato con esa persona. Al saber que estás en control de tu vida, empezarás a decidir pasar menos tiempo con estas personas. Ya sea abiertamente, o encubiertamente, empezará a suceder. Lo mismo sucederá con las relaciones que tienes con personas que en el pasado te han cargado de culpas.

Siendo una persona que se dirige a sí misma, empezarás a escoger limitar tu asociación con estos individuos que son más un lastre que una ventaja para ti y para la vida positiva que te estás construyendo.

Esto es lo que quiero decir con "Decir adiós es el principio del viaje". Lentamente, vas descubriendo que tu círculo de amigos está cambiando. Serás como un imán, atrayendo a gente hacia ti, gente como tú y como tu nuevo modo de vida. También repelerás a aquellos que no son como tú. En consecuencia, su influencia sobre ti disminuirá.

> *No es tanto que se avecinen tiempos duros;*
> *el cambio observado es mayormente*
> *que los tiempos blandos se están yendo.*
> —Groucho Marx

Dar este paso no suele ser fácil al principio. Tenemos miedo de herir los sentimientos de la gente si realmente somos juiciosos con ellos. Tenemos miedo de que si somos realmente honestos acerca de nuestro sentir respecto a su comportamiento, el daño será irreparable y perderemos su amor y su cariño.

Debes tener en mente que la única persona por la que puedes ser responsable es por ti. Todo lo que puedes hacer es ser honesto en tus sentimientos. Cómo decidan responder ellos, es su problema. Tú no tienes *nada* que ver con eso. No intentes ser superior predeterminando su respuesta. Nadie es capaz de hacer eso por el otro. Dales *a ellos* también la oportunidad de crecer.

Decirle adiós a viejos amigos, parientes e influencias no es fácil, pero vale la pena si realmente deseas salir de tu bache. Bob Trask, que tiene unas cintas estupendas llamadas *Ganando Todo el Tiempo,* habla de crecer más allá de tus amigos y seres queridos. Él cuenta una historia que yo creo que ilustra gráficamente las encrucijadas con las que te encontrarás y la pregunta que debe ser respondida.

Es la historia de unos pescadores mejicanos que pescan cangrejos en las aguas del Golfo. Cada día llevan sus canastas de alambre y vadean las aguas para recoger sus presas, las cuales venderán. Un día un pescador está en el muelle limpiando su equipo cuando pasa un turista y le dice: "Veo que entran en el agua con canastas de alambre para coger cangrejos, pero hay una cosa que no comprendo. Estas canastas de alambre no son tan grandes y están abiertas arriba. ¿Qué impide que los cangrejos trepen hasta la parte superior de la canasta y regresen al mar al que pertenecen?" El pescador lo mira, sonríe y dice: "Bueno, la clave está en que nunca pones un solo cangrejo en la canasta, porque entonces trepará por la canasta y volverá al mar al que pertenece. Pones por lo menos dos cangrejos. Entonces, cuando uno empieza a trepar hacia arriba, sus amigos tiran de él hacia abajo".

La cuestión es, ¿hay cangrejos en tu vida? Si hay personas en tu vida que no te están tratando como tú quieres que te traten o apoyando como tú quieres que te apoyen, puedes cambiar esto. ¿Conoces el viejo cliché: "Mátalos con amabilidad?" Contiene grandes verdades. Si quieres que la gente te trate de manera diferente, empieza a tratarlos tal como quieres que te traten. La rutina del "Mátalos con amabilidad" o bien los volverá locos o se irán de tu vida o cambiarán. En cualquiera de los casos, tu situación mejorará. A veces es difícil abandonar las viejas relaciones. Sólo acuérdate que no estaban funcionando. Si tu crecimiento hace que alguien sienta la necesidad de marcharse de tu vida, sólo recuerda que es lo mejor para ambos y luego sigue adelante.

Al hablar con personas de distintas profesiones, hay una historia común que siempre oigo. Mucha gente que está teniendo éxito tiene una o dos personas en su vida que parecen crear obstáculos y ser un detrimento para su éxito. Cuando esto nos sucede suele hacernos enfadar. Nos encontramos diciendo cosas como "Es que no comprendes que estoy bajo una gran presión"; "Sí, tengo que trabajar el sábado"; "Si sólo supieras lo que estoy pasando"; etc. Nos empezamos a sentir incomprendidos y desvalorizados cuando nos parece que la gente que nos rodea nos está poniendo las cosas más difíciles. Existe una verdad que creo que se suele aplicar a estas personas. Cuando parece que la gente te quiere retener abajo al no comprenderte o al intentar hacerte sentir culpable con afirmaciones como: "¿Quién te crees que eres, una especie de pez gordo?" o "¿Qué pasa, se te ha estropeado el teléfono? Ya no me llamas nunca. Supongo que te has vuelto demasiado bueno para tus viejos amigos", no te enfades. Intenta ver la situación desde otro ángulo.

Mi experiencia me ha enseñado que estas personas actúan desde el miedo. La base de lo que están intentando decirte es que tienen miedo de que vas a crecer y a cambiar tanto que saldrás corriendo y los dejarás detrás. Generalmente uno experimenta algunos cambios cuando el éxito entra en su vida, y las personas que te rodean se sienten amenazadas. Quizás sientan que no puedes estar a la altura de tu desarrollo y por eso intentan mantenerte al nivel en el cual ellos se sienten cómodos. La única forma que conocen de hacer esto es poniendo, a veces, barricadas en tu camino.

Visto desde esta perspectiva, es más fácil de comprender. En lugar de responder atacando, lo cual únicamente agrandaría el abismo entre ustedes, trátalos con amor e intenta involucrarlos en lo que estás haciendo. Si eliges responder con amor en lugar de enojo, es más fácil distanciarte de sus enredos emocionales: las redes en las que intentan capturarte. Es más fácil saber que estás creciendo tan rápido como puedes y que te gustaría llevarlos contigo, pero sólo ellos pueden decidir crecer contigo. No todo el mundo desea crecer. Esta es una realidad dura de aceptar, pero es la verdad y a veces debemos dejarlo estar.

> *Los entusiastas, para aquellos que no*
> *lo son, son siempre una especie de*
> *prueba.*
> —ALBAN GOODIER

Al poner en práctica las filosofías y los principios que hay en este libro, tu vida adquirirá un nuevo sentido, un nuevo entusiasmo y una nueva dirección. Te encontrarás realizando tus sueños a un ritmo increíblemente rápido. El éxito en lo que emprendas te llegará con mayor facilidad y rapidez cada vez que te enfrentes a un nuevo reto. Prepárate para aceptar que no todo el mundo se alegrará por ti.

La América ap   salud. La gente está acostumbra   a fundirse con la multitud. Los p   tu, que están dispuestos a dista   r hacer las cosas de una manera diferente son casi una afrenta para el público en general. La mediocridad está tan asentada en nuestra sociedad que la expansión y las ideas nuevas y revolucionarias suelen ser vistas como una amenaza para la seguridad, la prudencia y la comodidad personales. Cuando la gente se siente atacada, suele responder.

Al experimentar tu nuevo crecimiento e identidad probablemente querrás compartirlo con tus amigos y seres queridos. Si son personas abiertas y seguras de sí mismas, puede ser que te apoyen en tus nuevos proyectos y que te ofrezcan su entusiasmo y su ayuda. Si se sienten amenazadas por el "nuevo tú", puede ser que te encuentres repentinamente rodeado o rodeada de críticos. La razón de esto es que estás sobresaliendo en un área en la que ellos se sienten inferiores. De otro modo, no responderían con tanta fuerza. Si este es el caso, generalmente no poseen la apertura ni los recursos personales a los que acudir para poder permitirte ser quien eres. En consecuencia, su único recurso es atacar y despreciar tus objetivos. Esto les devuelve su sensación de poder que sentían que habían perdido cuando tú los dejaste atrás en tu progreso. Son el clásico ejemplo del arte de colocarse en una situación de superioridad frente a otra persona.

Con frecuencia atacamos
y nos creamos enemigos
para ocultar que somos vulnerables.
—FRIEDRICH NIETZCHE

Muy pocas personas en este mundo te dirán la verdad acerca de por qué te critican. El criticismo puede verse como la punta de un iceberg. La respuesta crítica es únicamente una manifestación externa de la rabia, el dolor, el resentimiento o la paranoia que sienten en lo más profundo. Como niños que se burlan de otro niño en el patio del colegio, llamándolo "cuatro ojos" o "gordo" para encubrir el hecho de que no son tan inteligentes como él, los adultos se hacen lo mismo los unos a los otros. Lo único que realmente cambia es el estilo y el vocabulario. La intención es la misma. Se trata de hacer que alguien se sienta mal por haber sobresalido. Como adultos hemos aprendido a camuflar esta intención, a ser más sutiles y, por ende, más destructivos.

> *Algunas personas se elevan*
> *rebajando a otras y pisándolas.*
> —Lee Gibson

Cuando te encuentres con personas que no están exactamente entusiasmadas con tu nueva forma de vida, descubrirás que responden a ti de diversas maneras. Algunas personas sólo son capaces de sentirse mejor cuando te rebajan y te critican. Su esperanza es que empieces a cuestionarte a ti mismo y abandones tu nuevo proyecto. Si logran detener tu progreso, entonces no tienes otra alternativa que regresar al punto del que partiste. Regresar al lugar en el que *ellos* se sentían cómodos.

Estoy familiarizada con este tipo de comportamiento. Un ejemplo gráfico de él fue exhibido por un hombre con el que yo estaba saliendo hace unos años. Yo soy una persona alegre por naturaleza. Estar feliz es mi estado natural. Siempre intento ver el lado optimista de las cosas y la mayoría de gente que me conoce dice que soy una persona efervescente. Este hombre era el Sr. Negatividad en persona y su apreciación de mi constante alegría era nula. Por lo tanto, su manera de echarme abajo era estar siempre cuestionándome acerca de mi actitud. A veces sentía que lo único que faltaba para que esto se convirtiese en un interrogatorio era un foco sobre mi rostro. Solía decirme: "No puedo creer que estés *siempre* así", "¿Qué estás escondiendo?", "Esto no me parece natural. ¿Por qué estás siendo tan falsa conmigo?", "Nadie puede estar feliz todo el tiempo".

Y así continuaba hasta el cansancio hasta que llegué a cuestionarme si verdaderamente era feliz o si estaba actuando. Busqué en mi alma algún defecto de carácter. Afortunadamente, tuve una nueva percepción y pensé: "¡Un momento! Si tú eres un desgraciado ese es tu problema. ¡"No me vas a arrastrar hasta el lodazal contigo!" Fue una decisión fácil de tomar. Nos sentamos y tuvimos una conversación sincera. Fui hasta el fondo del asunto y le dije que la razón por la cual sentía que él me estaba atormentando por ser feliz era porque él era tan infeliz que no podía soportar ver a nadie que no tuviese su problema. El contraste le resultaba demasiado doloroso. Como ya dije antes, la gente no puede discutir con la verdad. Están tan acostumbrados a oírla que el efecto es sorprendente.

Para gran sorpresa mía, estuvo de acuerdo en que ese era el problema. Y nunca más tuvimos una discusión de aquellas. Pude haber permitido, igualmente, que él hubiese acabado conmigo y cambiado mi actitud. Está atento cuando te lleguen ataques personales y críticas. Recuerda, la forma en que respondas depende de ti. Si a alguien no le gusta una parte de ti, es probable que se deba a que estás actuando como espejo, reflejando un defecto de la persona que ella no quiere reconocer.

La envidia es delgada porque muerde
pero nunca come.
—Proverbio español

Otro método que a veces utiliza la gente es intentar minar tu espíritu con la culpa. Esto está fuertemente vinculado a la discusión anterior en este libro acerca de los amigos y los seres queridos que no te permiten progresar porque temen que saldrás corriendo y los dejarás atrás. Un temor como este es una fuente de manipulación a través de la culpa. La otra es la envidia y los celos. Se trata de emociones muy poderosas y pueden llegar a sobrepasarlos. Pueden llegar a sentir que la única opción que tienen para impedir que avances es inmovilizarte a través de la culpa. Para las personas muy cercanas a nosotros, esta es una herramienta increíblemente efectiva. Estas personas están en una situación desesperada. Ellos desean lo que tú estás consiguiendo, pero no saben cómo obtenerlo. Entonces, intentan destruir tus esfuerzos haciéndote sentir pena por ellos.

Una vez tuve una amiga muy querida para mí, pero que estaba bastante celosa de la expansión de mi vida. Cuando nos conocimos teníamos muchas experiencias en común y, por lo tanto, muchas historias que compartir. Hubo una época en la cual pasábamos un número considerable de horas juntas. Esto empezó a cambiar. Existían algunas diferencias básicas entre nosotras que hicieron que estos cambios fuesen inevitables. Diferencias como: actitud positiva vs. actitud negativa, dinamismo vs. falsa seguridad, búsqueda del conocimiento de uno mismo y del crecimiento vs. aceptación de lo que te toca en la vida, y distintos círculos de amigos vs. contacto particular.

A medida que mi negocio y mi vida personal fueron evolucionando y expandiéndose, nos fuimos distanciando. Esta persona se volvió cada vez más dependiente de mí para su estabilidad emocional y como apoyo. No era raro que yo recibiese una llamada telefónica pidiéndome que cancelara mis planes y que fuese corriendo al lado de esta persona para evitar que "*se viniese abajo*". Este ciclo continuó perpetuándose hasta el punto de llegar a hablar de suicidio (no hubo ningún intento que pusiera en peligro su vida.)

Finalmente me di cuenta de que todo esto no era más que una estratagema para impedir que yo avanzara. El efecto que todo esto tuvo sobre mi actuación fue perjudicial. Me volví muy sensible a comentarios como: "Bueno, si al menos tuvieses un poquito de tiempo para dedicarme..." Afirmaciones como ésta chorrean culpa. Cuando tomé conciencia del juego, fue fácil detenerlo. A la siguiente llamada "suicida" que recibí, respondí diciendo: "Me encantaría ayudarte si quisieras ayudarte a ti misma. Sin embargo, este asunto del suicidio está consumiendo lo mejor de las dos. Creo que haces esto para llamar mi atención y eso no es necesario. Me verías más si no fuese tan deprimente estar contigo. ¡"He decidido que si esto tiene que matar a alguna de las dos, ¡no será a mí!". Sucedió algo sorprendente: tampoco la mató a ella.

Tuvimos algunas conversaciones muy directas acerca de los celos y la envidia después de esto y ahora tenemos una relación mucho más fuerte que antes. Cuando se va hasta el fondo de las cosas, la gente suele ser muy fuerte. Es cuando insistimos en ayudarlos que permanecemos impotentes. He aprendido una lección extremadamente valiosa a través de los amigos y parientes que han intentado hacerme sentir culpable con el paso de los años. En ocasiones, personas a las que tú valoras pueden decirte que tus ideas son descabelladas y absurdas durante tanto tiempo, que puedes acabar creyéndoles. He aprendido que cuando todo el mundo me dice que estoy loca, estoy en el camino correcto. La gente suele tener miedo de romper su molde. Los hace sentirse seguros, de manera que no es de extrañar que te crean loco cuando vas por tu propio camino. Sólo acuérdate de lo especial que eres y sigue avanzando. No tienes que estar de acuerdo con alguien para quererlo. Recuérdalo.

Puedes manejar la culpa proveniente de amigos y parientes. Puedes ganar poder personal y una creciente libertad al negarte a permitir que sus críticas te ofendan. Cuando la energía drena de una situación crítica, las personas que te están criticando ya no salen ganando. No consiguen la sensación de poder que esperaban. Se ven forzados a darse cuenta de que no pueden dictar tus actos con su influencia, de modo que finalmente dejarán de intentarlo. Esto te da libertad. También puedes evitar retroceder al no sucumbir a la culpa. Coge esta situación llena de culpa y utilízala como una señal. Sólo has de saber que si ellos consideraron que era tan importante como para hacerte sentir culpable, debes estar muy cerca del éxito y de lograr tu objetivo. De otro modo, no te estarían molestando.

> *Si no podemos ser felices y poderosos y*
> *atormentar a otros, inventamos la conciencia y*
> *nos atormentamos a nosotros mismos.*
> —ELBERT HUBBARD

Cuando rompas el hechizo de tu pasado, sentirás una energía fenomenal y un renovado ánimo para vivir. Es como si te descubrieses a ti mismo o a ti misma y a tu poder personal por primera vez. No permitas que los remordimientos de conciencia destruyan tu momento. Habrá quienes te atormenten con fuertes arremetidas emocionales. Intentarán hacerte sentir mal por los cambios que estás realizando. No los escuches. Se trata de una ilusión que están fabricando para evitar que los abandones. No tienen el valor necesario para expandirse y crecer, de modo que no quieren que tampoco tú lo tengas. No aceptes esa culpa. Déjalos ir con amor. Invítalos a acompañarte, pero no vuelvas la mirada atrás si no lo hacen.

Si, llegado este punto, permites que alguien te impida hacer algo que tú sabes que es bueno para ti, estás creando una rutina en la que permites que los demás controlen tu vida. Esta rutina hace que te sientas seguro porque crecer significaría perder a fulano de tal; al menos así es como tú lo racionalizas. En realidad, si a fulano de tal no le importas lo suficiente como para dejarte ser quien eres, de cualquier manera no existe una gran relación. Me doy cuenta de que hay quienes preferirían vender su alma antes que estar solos, pero, créeme, hay cosas mucho peores que estar solo, y renunciar a la vida es una de ellas. La ironía es que aquellos que eligen abandonar y vivir según las definiciones de otra persona, normalmente acaban sintiéndose solos, a pesar de que tienen a esa otra persona en su vida, porque una parte de su alma se ha ido. ¿Quieres que esto te suceda a ti? No, no lo creo.

Capítulo VI

TÚ ERES TODO LO QUE NECESITAS
Cómo crear la vida de tus sueños

*Si a los niños se les pudiese enseñar
sólo una cosa, debería enseñárseles
que este es un mundo mental.*
— EMMET FOX

La mayoría de la gente es tan
feliz como decide serlo.
—Abraham Lincoln

Este capítulo contiene el secreto para tener todo lo que deseas. En los otros capítulos de este libro compartí contigo mis filosofías personales sobre la vida, tal como se han desarrollado a partir de mi propia experiencia. Este capítulo difiere en el sentido de que las filosofías que aquí presento no son sólo mías, sino también las de las grandes mentes de todos los tiempos. Las verdades permanecen inalterables y continúan tejiéndose en el telar de una generación tras otra. Se ha dicho que la verdad persiste. Yo creo que así es.

Lo que estoy a punto de compartir contigo en las próximas páginas ha sido el mayor catalizador del cambio en mi vida. Me ha permitido aprovechar un poder que hasta ahora hubiese llamado milagroso. Ahora lo llamo la ley natural del Universo. A lo largo del tiempo, la práctica de estos conceptos ha ayudado a muchos gigantes a emerger de los más humildes inicios. Este tema podría discutirse con tanto fervor y entusiasmo que uno podría verlo como un fanatismo. Yo me refrenaré de llegar a estos extremos de expresión, porque sé que la sociedad en su conjunto desprecia las palabras de los fanáticos. Esto es demasiado importante como para ser puesto en peligro, de modo que lo explicaré desde una perspectiva muy lógica, racional y metódica. Las grandes verdades son muy simples y, sin embargo, no comprendemos cómo aplicarlas a nuestras vidas. Verás, estamos con demasiada frecuencia fijados en la creencia de que "La vida es dura". Créeme, no lo es. Ha llegado el momento de salir de la rutina de "la vida es dura". Ya no te sirve.

> *Unos pocos creen realmente.*
> *La mayoría cree que cree.*
> —John Lancaster Spalding

La mayor parte de la gente pasa por la vida aceptando que "por alguna razón" no pueden tener las cosas que desean. La razón por la cual no tienen aquello que desean en sus vidas es porque *no creen que pueden tenerlo.* Eso es todo.

Los capítulos que nos trajeron hasta aquí te han preparado para comprender las siguientes páginas. La mayoría de nosotros hemos sido educados con los valores culturales occidentales que nos dicen que la vida se vive dentro de unos límites. La verdad es que la vida es ilimitada. Toda la abundancia y la riqueza del Universo que puedas manejar están aquí ahora mismo, esperándote. Para abrir la puerta de este almacén, sin embargo, debes deshacerte de los filtros que han nublado tu visión. Debes averiguar lo que tú realmente crees; no lo que otra persona te dijo que debías creer. Cuando logres esto, habrás llegado al punto de inicio. Si pones en práctica las ideas contenidas en este capítulo, el nombre más apropiado para él podría ser plataforma de lanzamiento.

Deshacerse de los filtros significa:

1. Darte cuenta de lo que ha sido tu vida.
2. Decidir cuáles son tus sueños.
3. Deshacerte de los obstáculos y de las personas que te han estado impidiendo avanzar.

Si no has terminado de enfrentarte a la basura de tu pasado, no lo uses como excusa para no empezar con esta nueva manera de vivir. Son pocos los individuos que pueden terminar ese proceso antes de empezar éste. Míralos simplemente como viajes evolutivos coexistentes. La profundidad de la realización del primero sólo acelera el éxito del segundo. Los dos caminan mano a mano, ayudándose a crecer.

¿Cómo determinas aquello en lo que *realmente* creemos y lo que queremos creer que es cierto para nosotros? Para determinar esta variación por ti mismo o por ti misma, hazte un par de preguntas. ¿Cuán grande sería tu sueño si supieras que no puedes fallar? ¿Dónde te encuentras ahora mismo? El grado de diferencia entre esos dos polos nos dice lo que realmente creemos.

Nuestra mente reactiva camufla la verdad de lo que queremos hasta que ya no creemos que sea posible para nosotros.

Responde a las siguientes preguntas con lo primero que venga a tu mente:

¿Qué tipo de relación amorosa deseas en tu vida?

¿Quieres estar casado?

¿Quieres tener hijos?

¿Eres feliz?

¿Te gusta tu trabajo?

¿Cuál sería tu trabajo perfecto?

¿Qué harías si el dinero no fuera un problema?

¿Cuánto vales?

¿Qué es lo más importante en la vida para ti?

¿Quién es tu mejor amigo o amiga?

¿Qué es lo que te desagrada de él o ella?

¿Qué es lo que te da más miedo?

¿Los quieres?

¿Hay algunos miembros de tu familia o amigos con los cuales estés enfadado? ¿Por qué?

¿Te amas a ti mismo?

Si te has escuchado atentamente a ti mismo, probablemente habrás experimentado reacciones a ciertas preguntas cuando una respuesta surgía en tu mente y tú la cambiabas rápidamente. Esa primera respuesta es la *verdad*. Esa es tu mente no-reactiva que está hablando. Esa voz contiene todos los "debos", "deberías", y "tengo que", que has aprendido en tu proceso de socialización. Es el filtro que te impide ver, ser hacer y tener aquello que realmente deseas. Cuando has funcionado desde una posición de miedo, la mente reactiva sirvió a su propósito útil. Te protegió de los acontecimientos que no estabas preparado para manejar. Ahora, sin embargo, que estás enfrentándote a tus miedos y culpas del pasado, la mente reactiva sólo limita tu potencial. Se le debe enseñar a cambiar sus hábitos. Debe saber que tú ya no eres una entidad impotente que necesita ser protegida. Debes lograr que se calle para que puedas oír la voz de tus verdaderas creencias.

Un muy buen amigo mío, Rex Gamble, cuenta una gran historia sobre la voz interior. Rex es un conferencista conocido a nivel internacional y autor de *Cree en ti mismo*. Cuando acudí a una reunión en la cual Rex era el conferencista principal, le oí contar esta historia:

"Notaréis que hoy llevo un broche de oro con una inscripción que dice: #1. Este broche me fue entregado delante de una multitud de 3.000 personas por el único hombre que aparece en el Guinness Book of World Records como el mayor vendedor del mundo, Joe Girard. Joe me regaló este broche y me dijo: "Rex, quiero que lleves este broche porque tú eres un número uno".

Como soy el tipo de persona que soy, le dije: "Pues, gracias, Joe. Sí lo soy. No sabía que tú lo supieses. ¡Gracias!. Ese día llegué a casa, me miré al espejo y me dije: "Eres el Número Uno". En ese momento apareció mi mejor amigo. Albert. Albert es mi vocecilla interior. Albert dijo: "¿Número Uno en qué?" Yo le dije: "Albert, soy el vendedor número uno en el mundo". Albert me respondió: "No, no lo eres". Entonces dije: "En la actualidad, soy el conferencista número uno en el mundo". Albert dijo: "No, no lo eres". Así seguimos hasta que finalmente me quité el broche y lo guardé sumisamente. Uno no puede discutir con Alberto ¿verdad? Veréis, no podía encontrar en qué era el número uno. No me lo volví a poner durante más de un año porque no sentía que mereciese llevarlo. Notaréis que hoy lo llevo. No, Alberto no murió. Veréis, finalmente averigüé en qué soy el número uno. Soy el Rex Gamble número uno en el mundo entero. Soy el mejor yo que existe".

Descubre quién es el mejor tú. Determina lo que verdaderamente crees acerca de ti mismo y sigue adelante con ello. Seguir adelante con ello significa mirar detenidamente lo que deseas. ¿Qué desea creer acerca de ti mismo?

> *La mente tiene reservas infinitas*
> *debajo de su conciencia actual.*
> —William Channing

¿Estás preparado para conocer las herramientas que te permitirán realizar un importante cambio en tu vida? No son fáciles de utilizar porque son demasiado sencillas. Parece como si las cosas sencillas nos resultasen, por alguna razón, difíciles de aplicar y de utilizar en nuestras vidas. Por favor, no discutas contigo mismo sobre estos principios sin antes haberlos probado en tu vida. Sé consistente. Utilízalos diligentemente durante por lo menos, tres meses. Nunca más querrás regresar al modo en que vivías antes. Te lo garantizo.

> *Permíteme que te dé una idea*
> *que vale $ 25 millones.*
> *Toma una buen idea y utilízala.*
> —ANDREW CARNEGIE

Existen cinco principios que han sido utilizados por las grandes mentes para crear la vida de sus sueños.

1. Decide específicamente lo que deseas.
2. Planea la llegada de tu deseo a tu vida.
3. Actúa como si ya lo tuvieras.
4. Sé paciente, diligente y perseverante.
5. Acepta y reconoce tu sueño cuando llegue a ti.

1. Decide específicamente lo que deseas. La ley de la naturaleza dice que lo que tú deseas, te desea. Sólo tienes que permitirle entrar en tu existencia. El poder de la mente es increíble. Todo lo que tienes que hacer es decidir lo que deseas y luego dejar que tu mente lo cree para ti. No tienes que saber *cómo* sucederá, y con frecuencia llegará a ti de una forma totalmente inesperada. La mente crea soluciones para ti que son por tu bien más elevado, aunque no te lo parezca en estos momentos.

Ya se trate de un objetivo de relación, de un tema de salud o de un reto económico, nunca dejo de sorprenderme ante lo que la mente es capaz de crear para nosotros. Permíteme que te dé algunos ejemplos.

Cuando llevaba un par de años con mi negocio, mi marido y yo pasamos por una situación en la cual necesitábamos una cantidad específica de dinero para ayudarnos a superar un problema económico. Sabíamos cuánto dinero necesitábamos, y la situación se estaba poniendo crítica. Entonces decidimos ir al banco y pedir un préstamo.

Como suele ser el caso, cuando realmente necesitas un préstamo, el banco no quiere dártelo, especialmente si trabajas para ti mismo. Yo estaba furiosa al salir del banco después de que nos lo hubieron negado. Necesitábamos ese dinero y lo necesitábamos ya, no cuando nuestra situación económica hubiese mejorado. Despotriqué y me quejé durante todo el camino de vuelta a casa acerca del tratamiento injusto que habíamos recibido, con el tiempo que llevábamos siendo buenos clientes del banco y cómo se atrevían a tratarnos de esa manera.

Después de llegar a casa, estábamos los dos en nuestros despachos trabajando, cuando sonó el teléfono. Al otro lado de la línea había un nuevo cliente que había oído hablar de mí y quería que hiciese un trabajo para ellos. Era un contrato importante y lo último que me dijo el cliente fue: "¿Le parece bien que le envíe el cheque mañana mismo? Quiero que este proyecto se ponga en marcha de inmediato". Intenté mantenerme serena, tranquila y calmada cuando le respondí con un controlado: "Sí, me parece bien".

Lo que quería hacer era saltar de arriba abajo gritando de alegría porque el cheque que el cliente me estaba enviando era, por centavos, ¡la misma cantidad que acababa de ir a pedir al banco! Verás, lo que tú deseas, te desea, y tu mente siempre soluciona las cosas para tu bien más elevado y más bueno cuando tienes claro lo que deseas. Yo pensé que tenía que conseguir el dinero del banco, pero mi mente sabía qué era lo mejor.

¿Para qué pedir dinero prestado cuando puedes conseguir que alguien te lo dé?

Otro episodio que me viene a la mente tuvo ۰ nacimiento de mi hijo, Andrew. Como sabrás pۅ do antes en este libro, tuve un parto muy difíc Joy. En consecuencia, a medida que mi embara۰ iba progresando, tenía un sentimiento de pav parto, basándome en mi experiencia anterior. que decir: "No quiero tener un parto como el de No sólo se lo decía a mi marido y a otras persۅ también me lo decía a mí misma constantement

Hay veces que nos ponemos metas en la mente y no somos siquiera consciente de la reacción en cadena que ponemos en marcha. La mente toma una dirección con mucha facilidad. Por lo tanto, debes ser muy cuidadoso con lo que dices y/o deseas porque lo más probable es que lo consigas.

Siete días antes de la fecha en que se suponía que Andrew debía nacer, se dio la vuelta. Mi médico intentó manipularlo dentro del útero para volver a colocarlo en posición, pero no logró hacer que se moviese. Como resultado de esto, tuve un parto con cesárea. ¡Qué secreto más bien guardado! Ni siquiera se estropea el maquillaje. En contraste con el parto anterior, una cesárea era algo sencillísimo. ¿Reconoces lo que tuvo lugar aquí? No tuve un parto como el de la última vez.

Hay quienes llamarían a estas dos situaciones coincidencias. Yo, ciertamente creo que no. He tenido demasiadas de estas "coincidencias" como para seguir creyendo que fueron accidentales. No, no lo creo. Hay algo mucho más grande que funciona en tu vida una vez que decides específicamente lo que deseas.

Los pensamientos son cosas y atraen hacia ti los resultados que deseas. Deja que funcione para ti. Es un poco difícil que logres un objetivo si no tienes uno. La mente necesita saber en qué debe concentrarse antes de poder crearlo. Sé muy específico respecto a lo que deseas. Tu mente empezará entonces a hacer que suceda para ti, paso a paso.

La mente creará para ti aquello en lo que concentres tu energía. Si, por ejemplo, deseas riqueza monetaria en tu vida pero estás constantemente preocupándote por no tener dinero, lo que recibirás será pobreza, porque la mente se ha estado preocupando por la falta de dinero y no por la abundancia de dinero. Como ves, la imagen más fuerte gana. La mente es muy sensible a la energía. Si dices que deseas dinero pero pones tus pensamientos en la pobreza, esos patrones de pensamiento son más potentes y tienen más energía. Por consiguiente, pobreza es lo que recibes. Debes disciplinar a tu mente para dirigir su atención a aquello que deseas, no a lo que temes. Más adelante te daré dos técnicas para enseñarle a tu mente a cambiar su concentración de lo negativo a lo positivo, independientemente de las circunstancias aparentes. De momento, centrémonos en los cinco poderosos principios.

2. **Planea la llegada de tu deseo a tu vida.** Además de ser específico respecto a lo que deseas, debes establecer un plan para conseguirlo. Los pasos más pequeños deben conducirte hacia el más grande. Napoleón Hill lo llama, en *Piense y Hágase Rico,* el plan de "fijación del propósito".

Escribe un objetivo a largo plazo y empieza a retroceder. Contempla los pasos que debes dar para alcanzar ese objetivo. Centra tu atención en las soluciones y no en los problemas. En cada paso del camino mira los obstáculos y reconócelos. Decide cómo vas a superarlos. Establece una estructura de tiempo dentro de la cual quieres que tus logros se manifiesten. Asegúrate de los pasos intermedios apoyen a la realización de tu objetivo a largo plazo. Cristaliza en tu mente lo que será necesario que hagas para tener éxito. Para mantener la vitalidad en tu vida, haz algo todos los días que ayude a la realización de tu plan.

3. Actúa como si ya lo tuvieras. Durante las Olimpiadas de Invierno de 1984, se habló mucho de la magnífica actuación de ciertos atletas. Estos atletas estaban utilizando una nueva técnica revolucionaria de visualización y meditación antes de competir. Se veían a sí mismos ganando, antes de hacerlo en realidad. Los resultados fueron sorprendentes. Aunque estoy segura de que muchos atletas habían utilizado estas técnicas con anterioridad, esta fue la primera vez que tuvo una gran cobertura en los medios de comunicación. Todo el mundo parecía estar hablando de ello, y los logros de este grupo en particular fueron unos avances cuánticos con respecto a sus competidores, lo cual los hacía innegables.

Puedes utilizar ese mismo tipo de poder en tu vida. No subestimes lo que la mente puede hacer por ti. Hemos oído esto una y otra vez acerca del éxito a mucha gente famosa. ¿Cuándo vamos a empezar a escuchar? ¿Qué más pruebas necesitamos?

> *El mundo exterior de las circunstancias*
> *adquiere forma a partir del mundo*
> *interior del pensamiento.*
> —James Allen

Cuando hayas decidido específicamente lo que deseas y hayas hecho planes que te conduzcan hacia ese fin, debes proveerte de algunas imágenes mentales claras de aquello que de-

écnicas que harán que tu sueño se convierta en
apidez, ayudándote a reemplazar las imágenes
mente por imágenes de la situación que deseas

afirmaciones.

2.   Utilizar la visualización.

Para el propósito que nos incumbe, las afirmaciones se definen como afirmaciones positivas que te dices en voz alta a ti mismo en primera persona, en tiempo presente. Utilizas estas afirmaciones para reprogramar la computadora de tu mente. Así es como cambias la concentración de la energía de negativa a positiva. Reprogramar la mente no es simplemente una cuestión de decirte cosas a ti mismo un par de veces, y luego conseguir unos resultados impresionantes. El proceso al que me estoy refiriendo es una forma de lavado del cerebro generada por uno mismo. Inunda tu mente con los pensamientos que quieras retener y, después de un tiempo, la mente empezará a creerte. Generalmente son sensaciones emocionales que se adquieren a través de la visualización.

Cuando yo empecé a reconstruir mi vida después de haberla saboteado, había un par de áreas en las que necesitaba trabajar de inmediato. Una era la economía. Empecé a decirme cosas como "Los acreedores no pueden comerme" y mi frase favorita, que adquirí en un seminario de Mark Victor Hansen: "Tengo una rebosante avalancha de abundancia en mi vida aquí mismo, ahora mismo, y merezco ser rica". Las primeras veces que pronunció esta afirmación, oí una vocecita en mi cabeza que me decía: "¿A quién quieres engañar? ¿Una avalancha de abundancia? Si apenas consigues llegar a fin de mes". Después de un tiempo, esta vocecita empezó a debilitarse, hasta que finalmente desapareció. Una cosa curiosa sucedió cuando la

vocecita hubo desapareci[...] [...]npezó
a mejorar. Mmmmmm, ¿[...] [...]?

Pedid y recibiréis
—Jesucristo

Las afirmaciones pueden utilizarse para todo tipo de cosas. Por ejemplo, voy a compartir contigo la afirmación que utilicé para crear una relación amorosa en mi vida con el tipo de hombre que yo quería.

"Tengo al hombre perfecto en mi vida ahora y estamos muy enamorados. Él es mayor que yo, más alto y con la piel más morena que yo. Es delgado y tiene el cabello oscuro. Es un hombre muy sofisticado y disfruta de las cosas buenas de la vida. Aprecia el arte y la música. Es un gran bailarín y tiene un maravilloso sentido del humor. Le encantan la risa y los niños. Es lo suficientemente fuerte como para permitirme ser quien soy, independiente de él. Me anima a ser lo mejor que puedo ser. Somos muy felices".

Cuando empecé a utilizar esta afirmación, este hombre no formaba parte de mi vida, ni estaba visible en el horizonte. Yo había dejado de salir con hombres porque las experiencias que había tenido no me llenaban. Había pasado mucho tiempo interpretando a la mariposa social. No era raro en mí estar saliendo con entre seis y diez hombre a la vez. Todos eran atractivos, exitosos e inteligentes, pero faltaba algo y yo no era feliz. Empecé a decirme a mi misma que nunca volvería a casarme. Después de todo, sólo me gusta hacer las cosas que hago bien y parecía que el matrimonio no era una de ellas. Me apunté en un gimnasio y me compré un gato, pero aún así, sentía que me faltaba algo.

Yo conocía el poder de las afirmaciones y de la visualización porque las había utilizado en numerosas ocasiones en mi vida, con un éxito sorprendente. Una vez más, me costó apartar a mi ego lógico. Cuando todo lo demás había fallado, decidí utilizar mi intuición y mi poder mental para resolver mis problemas de relación.

4. **Sé paciente, diligente y perseverante.** Utilizaba esta afirmación al despertarme por la mañana y antes de irme a dormir. Estos momentos del día son muy importantes para utilizar tus afirmaciones y tus visualizaciones porque es cuando la mente está más receptiva. En 60 días, Doug Jones había entrado en mi vida, aparentemente salido de la nada. Encajaba en mi afirmación hasta el más mínimo detalle. Ten cuidado con lo que pidas, porque lo conseguirás.

Nunca lo olvidaré: Un día estaba sentado en mi sofá después de, aproximadamente, nuestra tercera cita, cuando se giró hacia mí y me dijo: "La primavera es una bonita época para enamorarse, ¿no crees?" Me entró el pánico. Me puse de pie de un salto, salí corriendo hasta el baño y cerré la puerta. Me dije a mí misma: "Este hombre va en serio. No es sólo cenar y bailar. ¡Este hombre está hablando de una relación monógama!". En este momento, oí una voz en mi cabeza que decía: "¿Qué es lo que te pasa? Durante los últimos 60 días, mañana y noche, has estado diciendo tus afirmaciones acerca de la pareja perfecta que quieres en tu vida. Ahora está sentado en el salón y tú estás aquí en el baño. ¿Qué es lo que te pasa? ¿Estás loca?".

Acto seguido, abrí la puerta del baño, caminé hasta mi salón y, con toda la compostura que me fue posible reunir, lo miré y le dije: "Sí, la primavera es una bonita época para enamorarse".

Pasaron seis semanas desde que empezamos a salir hasta que nos casamos. Hemos estado felizmente casados desde entonces. Tu mente sabe cómo crear las circunstancias para traerte tu mayor bien. Si yo no hubiese estado actuando como si ya lo tuviese en mi vida, dudo que él hubiese llegado a aparecer tan rápidamente, y sin embargo, casi estropeo todo por no reconocer mi buena fortuna cuando me fue entregada.

5. Acepta y reconoce tu sueño cuando llegue a ti. La vida con Doug es mejor de lo que había soñado y agradezco cada día el tenerlo en mi vida. Cuando estamos juntos, las personas que nos rodean sienten nuestro amor y nuestra energía. Es sorprendente.

Quizás estés pensando, "Eso no es más que una coincidencia". Déjame decirte que cuando has tenido cientos de demostraciones como este en tu vida, como las he tenido yo, dejas de llamarlo coincidencia. Bob Trask dice: "Una mente cerrada es más peligrosa que un paracaídas cerrado. Al menos el paracaídas cerrado te mata instantáneamente". A menos que tengas algo en tu vida que te dé mejores resultados de forma consistente, no desprecies el poder de las afirmaciones y de las visualizaciones hasta que hayas probado utilizarlas.

¿Qué es una visualización? La visualización es el incremento de una afirmación. A través de la visualización, no sólo dices lo que deseas en detalle, sino que también lo ves. Se ha dicho que la mente no puede diferenciar algo vívidamente imaginado de algo real. Esto es muy cierto. Para cambiar la rutina de tu mente, puedes utilizar la visualización para establecer nuevas imágenes en las cuales concentrarte.

En el ejemplo de mi pareja perfecta, me vi a mi misma con esta persona, experimentando nuestro amor y felicidad, oyendo nuestra risa, sintiendo sus besos, oliendo las rosas que me enviaba, etc. Este tipo de visualización sensorial convence a tu mente de que es algo real. Ahí reside la magia. Cuando tu mente cree que es real, permite que suceda. Lo acepta para ti y te lo da.

Es como la milla de cuatro minutos. Durante años y años, muy pocos creían que el record de una milla en cuatro minutos podía romperse. Mucha gente estaba convencida de que esa era la mayor velocidad posible con la que un ser humano podía correr. Esto duró años, hasta que un día Roger Bannister rompió el record. Poco tiempo después de eso, muchos otros rompieron el record. Ahora no se considera gran cosa. Hay chicos de la escuela secundaria que pueden correr a esa velocidad, ¡y qué decir de los atletas olímpicos! ¿Entiendes a dónde quiero llegar? La imagen en la mente era el único factor limitador. Hemos oído muchas veces que "Creerlo hace que suceda". ¿Cuándo vamos a confiar en esto? Es simple, pero no necesariamente fácil.

> *Ya sea que creas que puedes o que no*
> *puedes, de cualquiera de las maneras*
> *estás en lo cierto.*
> —Henry Ford

Probar estos principios durante un tiempo y luego dejarlos no te dará resultados. Es necesario continuar con el programa para producir resultados en tu vida. Es de ahí de donde provienen la fe y la creencia. Tienes que creer que los resultados están en camino, incluso si toma un tiempo.

Me destroza ver, cuando estoy hablando en un seminario, a los abanderados de la negatividad sentados todos juntos, apretujados, en el centro de la habitación. Me parece bastante divertida la falta de disciplina de la gente. Una vez un hombre me dijo; "No me venga con esa basura del pensamiento positivo. Lo probé una vez y eso no funciona". Le dije: "¿En serio? ¿Durante cuánto tiempo lo probó?", a lo cual respondió: "Durante por lo menos cuatro o cinco días". Tuve que esforzarme para no reírme en su cara. Hablaba en serio y no tenía ni idea de lo ridículo que había sonado.

Tú tienes el poder en tu mente para ser, hacer y tener cualquier cosa que desees. No obstante, si crees que te va a llegar en un par de días, te equivocas. La buena noticia es, sin embargo, que a pesar de que a tu mente le tomó años formar sus hábitos actuales, sólo le tomará una fracción de ese tiempo crear una nueva forma de pensamiento. Algunas personas lo hacen con mayor rapidez que otras, dependiendo de la profundidad de sus convicciones y de su autodisciplina.

Date la oportunidad. Te lo debes a ti mismo tener todo lo que deseas. Utiliza estos principios. Han funcionado para demasiada gente como para que no funcionen para ti también. Sé paciente. Permite que tu cosecha de ideas nuevas dé frutos. ¿Cuántas personas has conocido que abandonaron cuando estaba a punto de conseguirlo? No desperdicies tu vida de esa manera.

Concluyo este capítulo con una cita de Emmet Fox, de su libro *The Mental Equivalent*. Él propone que para lograr algo nuevo en tu vida, primero debes tener una imagen mental del objeto de tu deseo. Él lo llama el equivalente mental. Se trata de una verdad que ha persistido durante miles de años. Si deseas que algo esté presente en el plano físico, debe estar presente primero en el plano mental. *Cambia tu pensamiento y mantenlo cambiado, no durante 10 segundos ni 10 días, sino constante y permanentemente. Provéete de un equivalente mental, y la cosa llegará a ti. Sin el equivalente mental no puede llegar.*

Capítulo VII

HAY UN OBSTÁCULO
EN EL CAMINO ¡Y QUÉ!

*¿Por qué no pueden golpearnos los problemas
de la vida cuando tenemos diecisiete años
y lo sabemos todo?*
—A. C. JOLLY

*Haz el mejor uso de lo que está
en tu poder, y toma el resto
tal como venga.*
—Epícteto

No dejará de haber incidentes en tu viaje por el camino de la vida. Aprende a dar la bienvenida a estos acontecimientos como oportunidades para crecer y aprender, y así ya no sentirás pánico, como si estuvieses experimentando un problema.

Una de las cosas más difíciles de reconocer es que atraemos muchos problemas debido a nuestra forma de pensar. "Aquello que hemos temido se ha manifestado" tiene su origen en este tipo de filosofía. El número de problemas que creamos en nuestras vidas es un indicativo de lo poco dignos que nos sentimos de lograr nuestro objetivo y de recibir nuestro bien. Aprender a recibir es tan importante como aprender a dar. Si no sentimos que nos merecemos nuestro objetivo, entonces las circunstancias continuarán proporcionándonos la prueba que necesitamos para demostrarnos que estamos en lo cierto. En otras palabras, hasta que no *creas verdaderamente* que puedes tener tu objetivo y que lo mereces, no lo conseguirás. Los objetivos siempre estarán ahí para ponerte a prueba.

La buena noticia es que, una vez que te das cuenta de que tienes el poder de cambiar tus circunstancias, puedes salir del punto muerto y continuar con tu vida. Depende de ti.

No hay nada que temer
excepto al miedo mismo.
—FRANKLIN D. ROOSEVELT

Cuando nos encontramos ante un problema, podemos permitir que el miedo vuelva a entrar en nuestra vida y retome el control. Nuestros miedos en realidad no desean perder el control que han tenido sobre nosotros. En ocasiones nos aferramos a nuestros miedos porque nos proporcionan un lazo familiar con nuestro pasado. Cuando salir de tu zona de comodidad es algo nuevo para ti, el miedo puede recuperar fácilmente el control si no vigilas. No obstante, cuantas más veces seas capaz de reprimir tus temores y de avanzar, más fácil te resultará hacerlo, y los miedos aparecerán con menos frecuencia.

Como jugamos un papel protagonista en la creación de nuestra realidad a través de nuestros pensamientos, es importante poner al miedo en la perspectiva adecuada. El miedo sólo levanta su horrible cabeza cuando se encuentra en peligro de perder su poder sobre ti. Mientras sigas accediendo a minimizar tu crecimiento y a mantenerte en tu cómoda rutina, no hay razón para que el miedo aumente. Sin embargo, cuando echas un vistazo fuera de tu rutina y pretendes ir más allá de tus experiencias previas, puedes poner en marcha las alarmas. Estas alarmas entran en funcionamiento a causa de los sentimientos de ansiedad. Tus sentimientos de ansiedad tenderán a aumentar a medida que te acercas a tu objetivo. ¡Ten esto en mente y acuérdate de que estás muy cerca de ganar!

Cuando más cómodo te sientas superando las dificultades, menos probable será que te topes con los obstáculos creados por el miedo. Estos obstáculos pueden seguir ahí, pero tu percepción de ellos será diferente. Los problemas no te parecerán tan amenazadores.

Aquellos que intentan hacer algo
pero fracasan, son infinitamente mejores
que aquellos que no intentan
hacer nada y tienen éxito.
—Lloyd Jones

Habrá gente en tu vida que estará esperando a que fracases. Ellos son quienes te dijeron lo loco, o loca, que estabas al perseguir tu sueño en primer lugar. Aunque probablemente nunca lo admitirían, realmente *quieren* que tú fracases, para que se demuestre que estaban en lo cierto. Les encantará decir: "Te lo dije". Prepárate para enfrentarte a estos individuos y no permitas que te desanimen ni que te quiten tu ímpetu. Intenta tener en mente que su "Te lo dije" los ayuda a sentirse competentes.

Visto desde esa perspectiva, puedes permitir que sus comentarios te resbalen como el agua por la espalda de un pato. Su mundo es tan pequeño. Concédeles el placer de sus "te-lo-dije", y negarás su efecto. Les resultará evidente que sus palabras no tienen poder sobre ti, pero no estarán *seguros* de si tú lo has notado también. Esto les permite salvar la cara y realmente no te cuesta nada, a menos que tú lo permitas.

Debería resultarte evidente a estas alturas que la vida no es, en realidad, tan seria. En realidad, hay muy pocas cosas en este mundo que deberían poder perturbarnos o hacer que nuestros sueños se alteren. La vida, y la forma en que respondemos a ella, es en realidad una cuestión de perspectiva. Si sabes hacia dónde vas y tienes en la mente una imagen de cómo será estar ahí, lo conseguirás. En la esfera más amplia de nuestro propósito en la vida, los problemas con los que nos encontramos en realidad no son más que detalles molestos. Cuando eres capaz de ver el mundo desde esa postura, tienes a tu ego bajo control. Al hacerlo, tendrás una paz y una alegría en tu vida que mucha gente envidiará, pero pocos comprenderán.

> *Experiencia es el nombre*
> *que todo el mundo le da a sus errores.*
> —Oscar Wilde

La experiencia parece implicar una sabiduría ganada. Cuando nos encontramos frente a una dificultad, es sabio descubrir la lección que contiene. Negar la existencia de tal lección sólo provocará que vuelva a darse una situación similar en nuestras vidas más adelante. Es así como creamos los errores repetitivos y una espiral de frustración.

¿Te has encontrado alguna vez en una situación desagradable en la cual te preguntaste: "¿Cuándo dejaré de hacer esto?" Antes de que te des cuenta, te ves enfrentado a un problema similar y reaccionas de la misma manera. Por supuesto que, después, dices: "Esta ha sido, definitivamente, la última vez", pero no lo es, y el ciclo continúa. ¿Te has preguntado alguna vez por qué estas cosas parecen sucederte una y otra vez?

La ley del Universo nos proporciona las oportunidades para cometer errores en nuestra vida, con el fin de que aprendamos las lecciones que contienen. Sin embargo, si elegimos no aprender la lección, se volverá a crear en nuestra vida hasta que, finalmente, captemos el mensaje. Una vez que una lección es aprendida, podemos avanzar, pero no antes.

Tengo una amiga que perpetúa un problema de alcoholismo en su vida. Su padre era un alcohólico. Ella sentía pena por él y lo ayudó a validar el papel de "pobre víctima" que él creó para sí mismo. A pesar de que ella protestaba bastante, manifestando su odio por esa situación, ella *se casó* con un alcohólico. Una vez más, sintió pena por él y por su posición de víctima. El necesitaba que ella lo ayudara a ser fuerte y, a pesar de que ella decía despreciar la situación, seguía ahí.

Finalmente, el matrimonio se disolvió. Cuando ella empezó a salir con hombres otra vez. El hombre al que escogió bebía muchísimo. Se casaron y, otra vez, para su sorpresa (pero no para la sorpresa de los demás), descubrió que él era alcohólico. El ciclo se repitió. A todo el mundo le parecía evidente, menos a ella. Esta vez tuvo una nueva dimensión. Ella sentía que si lo abandonaba, él moriría. Finalmente, había llegado al punto de sentirse *responsable* por la vida o la muerte de alguien.

Hasta que ella no se enfrente a por qué es tan importante para ella sentirse tan intensamente necesitada, continuará rodeándose de individuos débiles que *necesitan* su fuerza. Por lo tanto, este patrón seguirá estando en su vida hasta que ella aprenda estas lecciones.

Es tan fácil ver un patrón negativo formarse en la vida de otra persona y, sin embargo, no lo vemos tan claro cuando se trata de la nuestra. Es imperativo, entonces, que mantengamos una percepción aguda. Cuando tengas un problema, no le saques brillo, dejándolo luego atrás. Asegúrate de localizar la raíz del problema y de lidiar con él. Decide si has experimentado algo parecido antes. Observa el patrón de detenlo. De otro modo, regresará una y otra vez. Repetir tus errores, es una pérdida de energía y de tu vida. Aprende tus lecciones bien aprendidas y gasta tu energía en el camino positivo del crecimiento.

Nos hemos excedido con la rutina de "Todo el mundo necesita que lo necesiten". ¿No es más exacto decir que todo el mundo desea ser deseado? Si aceptamos esto, evitamos a las fuerzas destructivas de la necesidad, que implican desesperación.

> *El mundo es redondo,*
> *y el lugar que puede parecer el final*
> *puede ser también el principio.*
> —Ivy Baker Priest

Cuando tenemos problemas, parece ser parte de la naturaleza humana mirar hacia adentro y empezar a dudar de nosotros mismos.

Esto nos puede privar del entusiasmo con el cual perseguimos nuestros objetivos. Si te sientes desanimado o desanimada puedes:

- Volver a centrarte en tu sueño y en por qué es importante que lo realices.
- Buscar el apoyo de tu grupo de Mente Maestra.
- Repasar tus pasos hacia el logro de tu objetivo.
- Recompensarte por tus esfuerzos.
- Continuar dando un paso más cada día hacia tu objetivo.
- Involucrarte en algún proyecto que no sea tuyo.

Siempre ayuda ver la situación bajo otra luz cuando puedes ayudar a otras personas menos afortunadas que tú.

Comprender que los problemas surgen para enseñarte algo y no para destruirte, puede ayudarte a mantener un alto nivel de confianza.

Los problemas suelen llegar a nuestra vida para mantenernos en el camino correcto, y no para que nos alejemos de él. Si has estado siguiendo tu sueño y las cosas están yendo bien, puedes decidir cambiar de dirección. Eso es estupendo. Demuestra que el riesgo ya no te asusta tanto.

No obstante, si esta nueva dirección está cargada de problemas, puede ser que el Universo esté intentando decirte que no debes ir por ahí. Sé consciente y escucha a tu intuición, pues ésta siempre tiene razón.

Aprendemos a ser valientes cuando avanzamos a pesar del miedo y las dificultades. Le preguntaron a un niño pequeño cómo había aprendido a patinar. "Oh, levantándome cada vez que me caía", respondió. Nosotros también podemos levantarnos.

Capítulo VIII

¡HAZLO AHORA!

*Las cosas no suceden es este mundo
hasta que alguien hace que sucedan.*

—James A. Garfield

*La única alegría en este mundo
es empezar*
—Cesare Pavese

Toda la planificación, el cálculo y la estrategia del mundo no sustituyen a la acción. Las tumbas están llenas de gente que *iba* a realizar sus sueños *algún día*. No te vayas a la tumba con tu música. Déjala salir. Compártela con el mundo ahora.

Mucha gente es víctima de la parálisis del análisis. Si eres uno de ellos, te pasarás la vida esperando el momento "adecuado" para dar el paso decisivo.

Esperando, se te pasa la vida. Esta es tu única oportunidad. Haz que cuente.

Se ha dicho con frecuencia que no hace falta empezar para fracasar, pero hay que empezar para tener éxito. ¿Qué estás esperando?

*Hay una sola cosa de la que estoy
seguro, y es de que hay muy pocas cosas
de las que uno pueda estar seguro.*
—W. Somerset Maugham

No hay forma de saber, antes de dirigirte hacia un sueño, que lo conseguirás. Si fuese posible, de alguna manera, darnos una garantía, no habría riesgo. La gente funcionaría a unos niveles de capacidad increíbles, porque no sentirían miedo. Por ende, no se limitarían ni limitarían sus pensamientos. "¿Cuán grande sería tu sueño si supieras que no puedes fallar?" . Espero que seas capaz de ver que la única cosa que te impide tener lo que deseas es una cosa pequeñita llamada miedo. Mordisco a mordisco, paso a paso, cualquier cosa puede conquistarse. El truco es comprender que no necesitamos garantías porque no necesitamos tener miedo de fallar.

Lo que piensas es lo que eres. No hay más que mirar a un abejorro, por ejemplo. Desde un punto de vista de ingeniería, por ejemplo, no es *físicamente* posible que un abejorro vuele; su cuerpo es demasiado pesado. Sus alas no pueden aguantarlo *físicamente* durante el vuelo. Pero existe un problema. ¡Creo que alguien olvidó decírselo a los abejorros! Alguien olvidó decirles que no puede hacerse. Ellos creen que pueden volar, por eso vuelan.

Olvídate de decirte a ti mismo las cosas que han estado impidiéndote avanzar. Sólo debes decirte pensamientos de "puedo hacerlo" Te sorprenderá lo que empezará a suceder. Fue Diana De Poitiers quien dijo: "El coraje es, con frecuencia, el resultado tanto de la desesperación como de la esperanza; en un caso no tenemos nada que perder y en el otro tenemos todo por ganar". Deja que tu coraje llegue a ti a través de tus esperanzas y tus sueños. Confía en ti mismo. Saldrás triunfante.

Para lograr grandes cosas,
debemos vivir
como si nunca fuésemos a morir.
—VAUVENARGUES

Lo que viene a continuación es una versión condensada de cada uno de los capítulos y del pensamiento fundamental que contiene.

La confusión es el preludio a la claridad

No necesitas saberlo todo para crear la vida de tus sueños. Sólo tienes que conocer el primer paso y estar abierto a la dirección que tome la vida.

Hola ahí dentro

Debes mirar bien el lugar en que ahora te encuentras, ya que es tu punto de partida.

Los sueños configuran la realidad

Anímate a soñar. Empújate hasta el límite. No te conformes con menos de lo que verdaderamente puedes llegar a ser.

¿Ante una bifurcación del camino?

No puedes conseguir lo que quieres hasta que sepas lo que quieres. Busca verdaderamente la dirección, escucha a tu voz interior y se volverá clara para ti.

Utilizando la culpa como guía

Corta con el pasado. No sigas viviendo ahí. Crecer no siempre es fácil, pero siempre vale la pena.

Tú eres todo lo que necesitas

La concentración es poderosa e importante. Considera por un momento que el sol no suele quemar a la hierba o al papel, pero cuando haces que sus rayos pasen por una lupa, obtienes fuego. Tu poder aumenta de la misma manera. La concentración hace que tu energía sea sorprendente y te permite crear la vida de tus sueños.

Hay un obstáculo en el camino ¡Y qué!

No permitas que nada te aleje de tus sueños. No eres débil, de modo que no finjas serlo.

¡Hazlo ahora!

No hay ningún momento como el **presente**, de modo que ¡por él!

> El miedo creó a los dioses;
> la osadía creó a los reyes.
> —Próspero Jalyot

El poder que yace en ti yace en todos nosotros. Sé tú mismo y realiza tu potencial. No permitas que nadie llueva en tu desfile.

¡Que empiece la música!

Índice

NOTAS